La cuisine asiatique

La cuisine asiatique

Sommaire

Les mots désignant des produits exotiques peu courants sont expliqués dans le glossaire.

La cuisine asiatique

Évoquant par ses mille saveurs parfumées les contrées les plus
lointaines, la cuisine asiatique a longtemps été plus facile à déguster
au restaurant que chez soi. Mais la plupart des épices et autres
ingrédients venus du bout du monde sont désormais disponibles
en grandes surfaces et on trouve même des mélanges tout prêts,
comme les pâtes de curry. Plus rien ne s'oppose désormais
à la réalisation chez soi de plats japonais, chinois ou indiens…
Voici quelques conseils pour vous faciliter la tâche…

Les types de riz

*Pour une saveur asiatique
authentique, choisissez le riz
qui convient à chaque recette.*

Long grain

Riz à longs grains minces qui ne collent
pas à la cuisson. Le plus populaire en
Asie pour le riz à la vapeur.

Jasmin

Riz à longs grains légèrement parfumés
très apprécié dans la cuisine
thaïlandaise.

Basmati

Riz à longs grains aromatiques,
populaire tant en Inde qu'au Sri Lanka.

Riz à petits grains

Les grains sont presque ronds. Ils
contiennent beaucoup d'amidon et
collent par conséquent à la cuisson.
Idéal pour manger avec des baguettes.

Koshihikari

Riz blanc à petits grains ronds, employé
pour les plats japonais, notamment
les sushi.

Gluten

Riz à petits grains, soit blancs soit noirs,
qui deviennent translucides et collants
à la cuisson ; convient surtout pour les
desserts.

La cuisson du riz

Le riz, sous une forme ou une autre, est
la base de tous les repas asiatiques. Il en
existe différentes variétés et les modes
de cuisson diffèrent également,
l'absorption et l'ébullition étant les plus
courants. Dans presque tous les pays
d'Asie, on préfère la méthode de
l'absorption dans la mesure où elle
permet de conserver la saveur et les
éléments nutritifs du riz. Choisissez la
technique qui vous convient le mieux.
L'adjonction de sel est une question de
goût. En Inde, au Sri Lanka et dans
certaines parties de la Malaisie, on en
ajoute systématiquement alors que dans
le reste de l'Asie, on n'en met jamais.

La méthode de l'absorption

Rincez le riz sous l'eau froide jusqu'à ce
que l'eau soit presque claire. Dans une
casserole à fond épais, mélangez l'eau et
le riz. Couvrez hermétiquement, portez à
ébullition, puis laissez cuire à feu doux 12
à 15 minutes. Ne retirez pas le couvercle
pendant la cuisson. Ôtez la casserole
du feu ; laissez reposer à couvert
10 minutes. Remuez les grains
délicatement à la fourchette. Les
autocuiseurs fonctionnent selon cette
méthode. Souvent employés en Asie, ils
sont faciles à utiliser et donnent toujours
d'excellents résultats.

La méthode de l'ébullition

Versez le riz dans une grande quantité
d'eau bouillante. Remuez pour séparer
les grains. Faites bouillir, sans couvrir,
12 minutes environ jusqu'à ce que le riz
soit moelleux, puis égouttez-le et remuez
les grains à la fourchette. Ne rincez pas le
riz sauf si la recette le mentionne.

Riz sauté

Dans la mesure où cette méthode est
très rapide, il faut que tous les ingrédients
soient préparés à l'avance. Cette
préparation fait songer à une émission
culinaire télévisée : sauces et bouillons
sont prêts à l'avance, tout est tranché,
coupé, râpé, pour pouvoir être incorporé
aussitôt. Les légumes doivent être coupés
de la même taille et de la même
épaisseur. Quand vous avez tout sous la
main, faites chauffer le wok, puis ajoutez
l'huile. Commencez par mettre les
légumes les plus durs, qui seront plus
longs à cuire, ajoutez les légumes verts
en feuilles au dernier moment.
Il faut veiller à ne pas « encombrer »
votre wok. Faites cuire les ingrédients
par petites quantités, la viande et le
poulet en particulier afin qu'ils soient
saisis. S'il y en a trop dans le récipient,
les aliments mijotent au lieu de frire.

L'épice de la vie

La prolifération des mélanges d'épices et des pâtes de curry d'excellente qualité a considérablement facilité la préparation des plats asiatiques à la maison. N'hésitez pas à les employer. Votre tâche en sera facilitée d'autant. Cependant si vous avez le temps et l'envie de les préparer vous-même, vous serez enchanté du résultat. Pour gagner du temps, prévoyez-en une grande quantité et congelez l'excédent en portions pour des usages ultérieurs. En revanche si vous mixez des épices, n'en préparez pas trop à l'avance dans la mesure où elles perdent rapidement leur saveur et leur arôme.

Les nouilles

Il existe presque autant de variétés de nouilles que de recettes. Les nouilles aux œufs et les nouilles de blé sont les plus couramment utilisées en Asie, mais on trouve aussi des nouilles à base de riz, de haricots mung, de sarrasin et d'innombrables autres formes d'amidon. Si nous spécifions le type de nouilles à employer dans chaque recette, n'hésitez pas à les remplacer par une autre variété si vous ne trouvez pas la bonne ou si vous la préférez à celle indiquée.

L'apprêt du wok

Les woks en acier et en fonte (à la différence des modèles en acier inoxydable et antiadhésifs) doivent être apprêtés avant usage. Il s'agit de « vieillir » le récipient afin que les ingrédients ne collent pas. Plus vous utiliserez votre wok, plus il foncera et deviendra lisse. Vous aurez besoin de moins de matières grasses.

• Commencez par laver votre wok à l'eau chaude avec du liquide vaisselle pour éliminer toute trace de graisse, puis rincez-le et séchez-le avec soin. Placez-le sur une plaque à feu vif. Quand il est bien chaud, frottez toute la surface intérieure à l'aide de papier absorbant imprégné de 2 cuillerées à soupe d'huile environ. Protégez vos mains à l'aide de gants de cuisine pour cette étape car l'huile et le wok deviennent brûlants. Continuez à le faire chauffer 10 à 15 minutes en essuyant de temps en temps avec du papier absorbant. L'huile brûlée dégagera de la fumée : aérez la cuisine pendant cette opération

Quantités de riz	Quantités d'eau	Portions
200 g de riz à à longs grains	500 ml	2
400 g de riz à longs grains	875 ml	4
200 g de riz rond ou moyen	375 ml	2
400 g de riz rond ou moyen	625 ml	4

Pour le riz à longs grains, comptez 375 ml d'eau pour 100 g de riz supplémentaires.
Pour le riz rond ou à grains moyens, comptez 250 ml d'eau pour 100 g de riz supplémentaires.

• Laissez votre wok refroidir complètement, puis répétez l'opération à deux reprises (trois fois en tout). Votre wok est prêt à l'emploi.

• Après chaque utilisation, nettoyez-le à l'eau chaude savonneuse. Ne frottez jamais avec de la laine de verre ou tout autre abrasif. Séchez-le parfaitement en le laissant quelques minutes sur une plaque à feu vif.

La Chine

La gastronomie chinoise est aussi variée que le pays
lui-même ; les ingrédients et les techniques culinaires diffèrent
selon l'origine de chaque plat. Nous connaissons mieux
les spécialités de l'ouest de la Chine, à savoir les plats sautés
cantonais, mais les spécialités épicées du Sichuan comme
les ragoûts et les délicieuses boulettes de la région de Pékin
gagnent rapidement du terrain chez nous.

Soupe au poulet et au maïs

Pour 6 personnes.

PRÉPARATION 15 MINUTES • CUISSON 20 MINUTES

1,5 l de bouillon de volaille
310 g de crème de maïs, en boîte
130 g de grains de maïs, en boîte
1/2 c. c. de gingembre frais, râpé
1 c. c. d'huile de sésame
8 oignons nouveaux, émincés
35 g de Maïzena
60 ml d'eau
2 blancs d'œufs
2 c. s. d'eau, supplémentaires
170 g de poulet cuit, en lanières
2 tranches de jambon maigre,
en fines lanières

1. Dans un faitout mélangez le bouillon, la crème de maïs, le maïs en grains, le gingembre, l'huile et les oignons ; portez à ébullition.

2. Délayez la Maïzena avec l'eau dans un petit pot ; ajoutez au contenu du faitout. Faites cuire en remuant jusqu'à ébullition de la soupe qui doit légèrement épaissir. Baissez le feu.

3. Mélangez les blancs d'œufs et l'eau supplémentaire dans un récipient. Versez dans la soupe en un mince filet sans cesser de remuer. Ajoutez le poulet et le jambon. Prolongez la cuisson quelques instants sans couvrir pour réchauffer le tout.

Par portion lipides 4,5 g ; 215 kcal

LES ASTUCES DU CHEF

• Vous pouvez préparer cette soupe la veille si vous la conservez, couverte, au réfrigérateur. Réchauffez-la sans la faire bouillir au moment opportun.

• On peut incorporer dans cette soupe des restes de poulet rôti ou au barbecue. Utilisez à votre convenance du bouillon fait maison, en berlingot ou en cubes.

Porc et veau sautés aux germes de soja

Pour 4 personnes.

PRÉPARATION 10 MINUTES • CUISSON 15 MINUTES

1 c. s. d'huile végétale

1 gousse d'ail, pilée

1 oignon moyen, émincé

600 g de porc et de veau hachés

1 c. s. de sauce de soja

1 c. s. de sauce aux huîtres

250 g de germes de soja, parés

200 g de nouilles frites

3 oignons nouveaux, émincés

**1 c. s. de graines de sésame blanc,
grillées**

8 grandes feuilles de salade

1 Faites chauffer l'huile dans un faitout ; faites revenir l'ail et l'oignon émincé en remuant jusqu'à ce qu'ils blondissent. Ajoutez la viande hachée ; remuez vivement jusqu'à coloration de la viande.

2 Ajoutez les sauces ; mélangez et laissez mijoter 5 minutes sans couvrir en remuant de temps en temps.

3 Juste avant de servir, incorporez les germes de soja, les nouilles, les oignons nouveaux et les graines de sésame. Répartissez le mélange dans les feuilles de salade.

Par portion lipides 23,2 g ; 426 kcal

L'ASTUCE DU CHEF

Nous utilisons des nouilles séchées croustillantes vendues en sachets de 100 g.

Soupe aux raviolis chinois

Pour 6 personnes.

PRÉPARATION 30 MINUTES • CUISSON 40 MINUTES

2 c. c. d'huile d'arachide
2 gousses d'ail, pilées
2 l de bouillon de volaille
1 c. s. de sauce de soja
1 l d'eau
4 oignons nouveaux, émincés

Raviolis

1 c. s. d'huile d'arachide

4 oignons nouveaux, émincés

2 gousses d'ail, pilées

1 c. s. de gingembre frais, râpé

400 g de porc haché

2 c. s. de sauce de soja

36 feuilles de pâte à wontons

1 œuf légèrement battu

1 Faites chauffer l'huile dans un faitout ; faites revenir l'ail 2 minutes en remuant. Ajoutez le bouillon, la sauce et l'eau. Portez à ébullition. Baissez le feu et laissez mijoter sans couvrir 15 minutes.

2 Juste avant de servir, répartissez les raviolis dans les bols de service. Versez la soupe chaude dessus ; garnissez d'oignons émincés.

Raviolis Faites chauffer l'huile dans une grande poêle ; faites revenir légèrement l'oignon, l'ail et le gingembre en remuant. Ajoutez le porc, mélangez vivement jusqu'à coloration de la viande. Incorporez la sauce de soja. Disposez des cuillerées à café du mélange au centre de chaque feuille de pâte. Badigeonnez d'œuf les raviolis et pincez les bords pour bien les sceller.

Par portion lipides 16,6 g ; 473 kcal

LES ASTUCES DU CHEF

• À défaut de feuilles de pâte pour raviolis, utilisez des galettes de riz pour rouleaux de printemps.

• S'il vous reste des feuilles de pâte, enveloppez-les dans un film alimentaire ; elles se conserveront 2 mois au congélateur.

Légumes chinois sautés

Pour 4 personnes.

PRÉPARATION 10 MINUTES • CUISSON 10 MINUTES

1 kg de pousses de bok choy
500 g de choy sum
300 g de tat soi
1 c. s. d'huile d'arachide
2 gousses d'ail, pilées
2 c. c. de gingembre frais râpé
1 c. s. de sauce de soja
1 c. s. de sauce aux huîtres

1 Coupez la base des tiges des légumes et supprimez toutes les feuilles abîmées. Coupez le bok choy en deux dans le sens de la longueur. Séparez les feuilles du choy sum et du tat soi.

2 Faites chauffer l'huile dans un wok ou une grande poêle. Faites revenir l'ail et le gingembre jusqu'à ce que le mélange embaume.

3 Ajoutez les légumes ; laissez cuire en remuant de temps en temps jusqu'au flétrissement des feuilles.

4 Incorporez les sauces ; remuez délicatement et prolongez la cuisson quelques instants encore.

Par portion lipides 5,3 g ; 94 kcal

Raviolis au poulet cuits à la vapeur

Pour 30 raviolis.

PRÉPARATION 40 MINUTES • RÉFRIGÉRATION 30 MINUTES • CUISSON 10 MINUTES

2 champignons shiitake séchés
500 g de poulet haché
2 oignons nouveaux, émincés
1 c. s. de ciboulette fraîche, ciselée
2 gousses d'ail, pilées
2 c. c. de gingembre frais râpé
1/4 c. c. de poudre cinq-épices
75 g de chapelure
2 c. s. de sauce hoisin
1 c. c. d'huile de sésame
1 œuf, légèrement battu
30 feuilles de pâte pour raviolis
1 c. s. de sauce de soja claire
2 c. c. de sauce aux piments douce
2 c. s. d'eau

1 Mettez les champignons dans un petit bol résistant à la chaleur ; couvrez-les d'eau bouillante. Laissez reposer 20 minutes ; égouttez. Jetez les queues ; détaillez les chapeaux en lamelles.

2 Dans un grand saladier mélangez les champignons, le poulet, les oignons, la ciboulette, l'ail, le gingembre, la poudre cinq-épices, la chapelure, la sauce hoisin, l'huile de sésame et l'œuf. Façonnez une trentaine de boulettes en prélevant pour chacune une cuillerée à soupe rase du mélange. Disposez-les sur un plat. Couvrez et entreposez 30 minutes au réfrigérateur.

3 Badigeonnez une feuille de pâte avec un peu d'eau. Posez une boulette dessus. Repliez fermement la pâte autour en forme d'aumônière. Répétez l'opération avec les autres feuilles. Disposez les raviolis en une seule couche et à 2 cm d'écart dans un panier à vapeur en bambou tapissé de papier sulfurisé. Faites cuire en couvrant au-dessus d'un wok ou d'une grande poêle contenant de l'eau frémissante pendant 8 minutes environ.

4 Mélangez la sauce de soja, la sauce aux piments et l'eau dans un bol. Présentez cette sauce pour y tremper les raviolis.

Par ravioli lipides 2 g ; 58 kcal

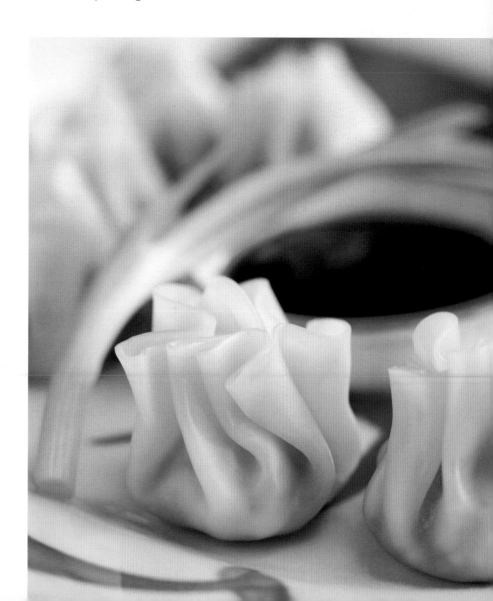

Canard à la pékinoise

Pour 4 personnes.

PRÉPARATION 2 H 30 • REPOS 12 HEURES • CUISSON 1 H 10

1 canard de 2 kg
60 ml de miel, chaud
1 pépino
8 oignons nouveaux

Crêpes
225 g de farine
1 1/2 c. c. de sucre
180 ml d'eau bouillante

Sauce
80 ml de sauce hoisin
2 c. s. de bouillon de volaille
1 c. s. de sauce aux prunes

1 Attachez une ficelle autour du cou du canard. Plongez-le 20 secondes dans une grande casserole d'eau bouillante. Égouttez-le et séchez-le avec du papier absorbant. Suspendez le canard par la ficelle à une clayette de votre réfrigérateur sans le couvrir, au-dessus d'un plat pour qu'il s'égoutte. Conservez-le toute une nuit au frais. Sortez le canard du réfrigérateur et laissez-le plusieurs heures à température ambiante, jusqu'à ce que la peau soit sèche au toucher.

2 Attachez les ailes sous le canard. Posez-le, à l'endroit, sur une grille métallique au-dessus d'un grand plat à rôtir. Badigeonnez-le entièrement de miel. Faites-le cuire 30 minutes à four moyen. Retournez-le. Prolongez la cuisson à feu doux pendant 1 heure.

3 Posez le canard sur une planche à découper. Ôtez la peau. Disposez-la en une seule couche sur une grille métallique au-dessus d'une plaque de four. Faites-la cuire 10 minutes à four moyen, jusqu'à ce qu'elle soit dorée et croustillante. Détaillez-la en lanières. Découpez le canard en tranches.

4 À l'aide d'une cuillère à café, ôtez les graines du concombre. Coupez-le ainsi que les oignons en bâtonnets. Garnissez les crêpes chaudes de chair de canard, de peau croustillante, de concombre et d'oignons, puis nappez de sauce. Roulez et servez aussitôt.

Crêpes Tamisez la farine et le sucre dans un grand saladier. Ajoutez l'eau. Remuez rapidement avec une cuillère en bois jusqu'à ce que les ingrédients s'amalgament. Pétrissez cette pâte 10 minutes environ sur une surface farinée. Lorsqu'elle est bien lisse, enveloppez-la de film étirable et laissez reposer 30 minutes à température ambiante. Divisez la pâte en 16 portions. Abaissez chaque portion en un disque de 16 cm. Faites chauffer une petite poêle à fond épais. Faites cuire chaque crêpe 10 minutes environ, sans graisse, jusqu'à ce qu'elle soit légèrement dorée. Enveloppez les crêpes dans du papier d'aluminium dès qu'elles sont cuites pour les empêcher de sécher. Si nécessaire, vous pouvez les faire réchauffer dans un panier à vapeur : tapissez le panier d'un tissu, disposez les crêpes dessus en une seule couche et faites-les tiédir 2 minutes à la vapeur au-dessus d'une casserole d'eau frémissante.

Sauce Mélangez les ingrédients dans un bol. Remuez bien.

Par portion lipides 107,2 g ; 1 419 kcal

LES ASTUCES DU CHEF
• Le canard doit être préparé la veille et conservé au réfrigérateur.
• Vous pouvez vous procurer du canard déjà cuit dans les épiceries asiatiques et certains restaurants chinois.

Canapés aux crevettes

Pour 16 canapés.

PRÉPARATION 30 MINUTES • CUISSON 15 MINUTES

16 grosses crevettes crues
2 œufs légèrement battus
35 g de Maïzena
8 grosses tranches de pain blanc
1 oignon nouveau, émincé
huile végétale pour la friture

Sauce aux piments douce
60 ml de sauce aux piments doux
60 ml de bouillon de volaille
2 c. c. de sauce de soja

1 Décortiquez les crevettes en laissant les queues intactes. Coupez-les dans le sens de la longueur le long du dos sans séparer les deux moitiés. Plongez-les dans un bol contenant les œufs mélangés à la Maïzena.

2 Supprimez la croûte des tranches de pain ; coupez chaque tranche en deux. Posez une crevette sur chaque morceau du côté coupé. Aplatissez légèrement chaque crevette et parsemez d'oignon en pressant bien.

3 Faites chauffer l'huile dans un wok ou une grande poêle ; plongez délicatement les canapés aux crevettes dans l'huile chaude, par petites quantités. Faites-les frire jusqu'à ce que les crevettes soient légèrement dorées. Égouttez les canapés sur du papier absorbant. Servez avec la sauce aux piments.

Sauce aux piments Mélangez tous les ingrédients dans un bol de service.

Par canapé lipides 5 g ; 127 kcal

Pâtés impériaux

Pour 24 rouleaux.

PRÉPARATION 35 MINUTES • CUISSON 25 MINUTES

4 champignons shiitake séchés
100 g de nouilles de blé séchées
1 gousse d'ail, pilée
1 c. c. de gingembre frais, râpé
4 oignons nouveaux, émincés
1/2 carotte moyenne,
**   en tranches fines**
40 g de germes de soja, parés
2 c. c. de sauce aux huîtres
2 c. c. de Maïzena
2 c. c. d'eau
24 carrés de pâte pour rouleaux
**   impériaux de 12,5 cm**
huile d'arachide pour la friture

Sauce au concombre
et aux piments

1 petit concombre, haché
60 ml de sauce aux piments doux
1 petite tomate, pelée, épépinée,
**   coupée grossièrement**
1 c. c. de sauce de soja claire
1 gousse d'ail, pilée

1 Mettez les champignons dans un petit bol résistant à la chaleur ; couvrez-les d'eau bouillante. Laissez reposer 20 minutes ; égouttez. Jetez les tiges ; détaillez les chapeaux en tranches fines.

2 Faites cuire les nouilles dans une grande casserole d'eau bouillante, sans couvrir, jusqu'à ce qu'elles soient juste tendres. Égouttez-les. Rincez-les sous un filet d'eau froide. Égouttez à nouveau. Coupez les nouilles en tronçons de 6 cm.

3 Mélangez les champignons et les nouilles dans un grand saladier avec l'ail, le gingembre, les oignons, la carotte, les germes de soja et la sauce aux huîtres. Délayez la Maïzena dans l'eau.

4 Déposez une cuillerée rase du mélange dans un coin de chaque carré de pâte. Badigeonnez légèrement la pâte de la Maïzena délayée à l'eau. Roulez pour enfermer la garniture en repliant les bords, chaque rouleau devant faire environ 6 cm. Répétez l'opération jusqu'à épuisement des ingrédients.

5 Juste avant de servir, faites chauffer l'huile dans une grande casserole ; faites frire les rouleaux, par petites quantités, jusqu'à ce qu'ils soient bien dorés. Égouttez-les sur du papier absorbant. Présentez avec la sauce au concombre et aux piments.

Sauce au concombre et aux piments Réservez la moitié du concombre. Mixez la moitié restante avec les autres ingrédients jusqu'à obtention d'un mélange homogène. Ajoutez le concombre réservé.

Par rouleau lipides 1,4 g ; 39 kcal

LES ASTUCES DU CHEF
• La garniture et la sauce peuvent être préparées 3 heures à l'avance si vous les conservez séparément au frais.
• Vous pouvez préparer les rouleaux 30 minutes avant de les faire frire. Gardez-les au réfrigérateur en les recouvrant d'un torchon humide. Les rouleaux non cuits se gardent jusqu'à 6 mois au congélateur.

Crabe à la sauce aux haricots noirs

Pour 4 personnes.

CONGÉLATION 2 HEURES • PRÉPARATION 30 MINUTES • CUISSON 20 MINUTES

2 crabes crus de 1,5 kg chacun
1 1/2 c. s. de haricots noirs salés, en sachet
1 c. s. d'huile d'arachide
1 gousse d'ail, pilée
1 c. c. de gingembre frais râpé
1/2 c. c. de sambal oelek
1 c. s. de sauce de soja claire
1 c. c. de sucre
1 c. s. de vin de riz chinois
180 ml de bouillon de volaille
2 oignons nouveaux, en fines lanières

1 Mettez les crabes vivants au moins 2 heures dans le congélateur. (C'est la méthode la moins cruelle pour les tuer.) Glissez un couteau pointu et robuste sous la carapace à l'arrière. Soulevez la coquille. Jetez-la.

2 Supprimez les ouïes. Lavez les crabes avec soin. Coupez chaque crabe en quatre à l'aide d'un fendoir. Retirez les pinces et les pattes. Détaillez les pinces en gros morceaux.

3 Rincez les haricots avec soin sous l'eau froide. Égouttez-les. Réduisez-les grossièrement en purée. Faites chauffer l'huile dans un wok ou une grande poêle. Faites revenir l'ail, le gingembre et le sambal oelek jusqu'à ce que le mélange embaume. Ajoutez les haricots, la sauce de soja, le sucre, le vin de riz et le bouillon. Portez à ébullition.

4 Incorporez le crabe ; faites cuire en couvrant 15 minutes environ jusqu'à ce qu'il change de couleur. Dressez-le sur un plat. Versez la sauce dessus. Garnissez d'oignons nouveaux.

Par portion lipides 7,1 g ; 283 kcal

L'ASTUCE DU CHEF

Trempez les lanières d'oignon 20 minutes dans l'eau glacée pour que leurs extrémités se recourbent. Vous obtiendrez ainsi une garniture typiquement chinoise.

Légumes sautés aux crevettes et au poulet

Pour 4 personnes.

PRÉPARATION 20 MINUTES • CUISSON 15 MINUTES

1 c. s. d'huile d'arachide

**500 g de blancs de poulet,
coupés en petits dés**

250 g de porc haché

1 oignon moyen, émincé

2 gousses d'ail, pilées

2 c. c. de gingembre frais, râpé

**1 grosse carotte, coupée
grossièrement**

**500 g de crevettes moyennes
crues, décortiquées**

300 g de chou chinois, en lanières

**425 g de petits épis de maïs
en boîte, égouttés**

**230 g de pousses de bambou,
égouttées et finement coupées**

**80 g de germes de soja, parés,
coupés grossièrement**

**2 oignons nouveaux, coupés
grossièrement**

1 c. c. de Maïzena

2 c. s. de sauce de soja claire

1 c. s. de sauce aux haricots noirs

1 Faites chauffer la moitié de l'huile dans un wok ou une grande poêle. Faites revenir les dés de poulet par petites quantités ; remuez vivement et laissez cuire quelques instants. Réservez. Faites chauffer le reste de l'huile dans le wok ; faites revenir le porc. Ajoutez l'oignon, l'ail, le gingembre et la carotte. Prolongez la cuisson jusqu'à ce que l'oignon blondisse. Incorporez les crevettes en les laissant cuire jusqu'à ce qu'elles changent de couleur.

2 Remettez le poulet dans le wok avec les légumes restants et la Maïzena mélangée aux sauces ; faites revenir jusqu'à ce que le chou soit juste cuit.

Par portion lipides 19 g ; 476 kcal

22

Crevettes au miel et aux graines de sésame

Pour 4 personnes.

PRÉPARATION 30 MINUTES • CUISSON 15 MINUTES

1,5 kg de grosses crevettes crues

150 g de farine avec levure incorporée

310 ml d'eau

1 œuf, légèrement battu

Maïzena

huile végétale pour la friture

2 c. c. d'huile d'arachide

60 ml de miel

100 g de germes de pois mange-tout

2 c. s. de graines de sésame blanc, grillées

1 Mettez la farine dans un saladier ; incorporez progressivement l'eau et l'œuf jusqu'à obtention d'une pâte lisse. Décortiquez les crevettes en laissant les queues intactes ; enrobez-les de Maïzena ; secouez pour éliminer le surplus. Plongez les crevettes dans la pâte, une par une. Égouttez l'excédent.

2 Faites chauffer l'huile de friture dans un wok ou une grande poêle. Mettez les crevettes à frire, par petites quantités, jusqu'à ce qu'elles soient légèrement dorées ; égouttez-les sur du papier absorbant.

3 Faites chauffer l'huile d'arachide dans le wok nettoyé. Mettez le miel à chauffer sans couvrir, jusqu'à ce qu'il bouillonne. Ajoutez les crevettes en prenant soin de bien les enrober de miel. Servez les crevettes avec les germes de pois mange-tout. Saupoudrez-les de graines de sésame.

Par portion lipides 25,3 g ; 661 kcal

Dorade au gingembre

Pour 4 personnes.

PRÉPARATION 10 MINUTES • CUISSON 40 MINUTES

40 g de gingembre frais
1 grosse dorade entière
60 ml de bouillon de légumes
4 oignons nouveaux, émincés
40 g de coriandre fraîche, hachée grossièrement
80 ml de sauce de soja claire
1 c. c. d'huile de sésame

1 Pelez le gingembre ; détaillez-le en allumettes.

2 Entaillez le poisson de part et d'autre à l'endroit le plus charnu ; placez-le sur une grande feuille de papier d'aluminium. Étalez dessus la moitié du gingembre et nappez avec la moitié du bouillon (réservez le reste de bouillon et de gingembre). Repliez le papier d'aluminium pour enfermer le poisson sans trop serrer.

3 Placez le poisson dans un grand panier en bambou. Faites-le cuire environ 40 minutes à la vapeur, en le couvrant, au-dessus d'un wok ou d'une poêle d'eau frémissante.

4 Déposez la papillote de poisson sur un plat de service. Ouvrez-la et garnissez le poisson avec le reste du gingembre, les oignons et la coriandre. Mélangez le bouillon réservé, la sauce de soja et l'huile de sésame, nappez-en le poisson.

Par portion lipides 5,6 g ; 292 kcal

L'ASTUCE DU CHEF
À défaut de dorade, n'importe quel poisson entier à chair ferme conviendra pour cette recette.

Poulet au citron

Pour 4 personnes.

PRÉPARATION 20 MINUTES • MARINADE 1 HEURE • CUISSON 25 MINUTES

**700 g de blancs de poulet,
coupés en fines tranches**

80 ml de jus de citron

1 c. s. de sucre roux

1 c. s. de gingembre frais, râpé

2 gousses d'ail, pilées

2 c. s. d'huile d'arachide

**250 g de nouilles fines aux œufs,
séchées**

1 oignon moyen, émincé

1 poivron rouge moyen, émincé

**1 branche de céleri parée,
en tranches fines**

**4 oignons nouveaux, en fines
lanières**

30 g de coriandre fraîche

Sauce au citron

1 c. s. de Maïzena

2 c. c. de zeste de citron, râpé

80 ml de jus de citron

500 ml de bouillon de volaille

60 ml de miel

1 c. c. de sambal oelek

1 Dans un saladier mélangez le jus de citron avec le sucre, le gingembre, l'ail et 1 cuillerée à soupe d'huile. Ajoutez le poulet et mélangez pour bien l'enrober de cette marinade. Couvrez ; placez au moins 1 heure au réfrigérateur.

2 Juste avant de servir, faites cuire les nouilles dans une grande casserole d'eau bouillante sans couvrir jusqu'à ce qu'elles soient tendres. Égouttez.

3 Faites chauffer le reste de l'huile dans un wok ou une grande poêle. Mettez le poulet à revenir par petites quantités ; lorsqu'il est bien doré et cuit, réservez. Mettez alors à la place l'oignon émincé, le poivron, le céleri, les oignons nouveaux ; prolongez la cuisson des légumes à feu vif, qui devront être juste dorés.

4 Remettez le poulet dans le wok. Ajoutez la sauce au citron et les nouilles. Faites sauter à feu vif en remuant bien jusqu'à ébullition de la sauce qui doit légèrement épaissir. Retirez du feu ; ajoutez la coriandre. Servez aussitôt.

Sauce au citron Dans un bol, délayez la Maïzena avec un peu de jus de citron ; ajoutez le zeste, remuez. Lorsque le mélange est bien lisse, incorporez le reste du jus de citron, le bouillon, le miel et le sambal oelek. Fouettez bien le tout.

Par portion lipides 19,7 g ; 694 kcal

Canard à la mode de Chengdu

Pour 4 personnes.

PRÉPARATION 25 MINUTES • MARINADE 3 HEURES • CUISSON 15 MINUTES

**1 c. s. de citronnelle fraîche,
hachée menu**

**1 c. s. de menthe fraîche,
grossièrement ciselée**

2 gousses d'ail, pilées

2 c. c. de poivre de Sichuan

2 c. c. de zeste de citron, râpé

1/2 c. c. de paprika fort

**600 g de magrets de canard,
en tranches fines**

2 c. s. de Maïzena

1 c. s. d'huile d'arachide

**400 g de pousses de bok choy,
coupées grossièrement**

120 g de germes de soja

60 ml de sauce aux piments douce

1 Mixez la citronnelle, la menthe, l'ail, les grains de poivre, le zeste de citron et le paprika (vous pouvez à la place du mixeur utiliser mortier ou pilon).

2 Dans un saladier, mélangez cette préparation avec la Maïzena et l'huile ; ajoutez le canard et remuez. Couvrez. Placez 3 heures au réfrigérateur.

3 Faites revenir le canard et sa marinade dans un wok ou une grande poêle, par petites quantités, jusqu'à ce qu'il soit bien doré et cuit.

4 Égouttez en ne gardant qu'une cuillerée à soupe de graisse dans le wok. Faites revenir dedans le bok choy et les germes de soja.

5 Remettez le canard dans le wok avec la sauce aux piments. Faites sauter en remuant pour bien mélanger tous les ingrédients.

Par portion lipides 60,7 g ; 667 kcal

Riz frit

Pour 4 personnes.

PRÉPARATION 10 MINUTES • CUISSON 15 MINUTES

2 c. s. d'huile d'arachide
2 œufs, légèrement battus
1 c. c. d'huile de sésame
4 tranches de lard, grossièrement coupées
1 oignon moyen, grossièrement coupé
2 branches de céleri parées, en tranches épaisses
1 gousse d'ail, pilée
1 c. s. de gingembre frais, râpé
600 g de riz blanc à longs grains, cuit
100 g de petites crevettes cuites, décortiquées
425 g de petits épis de maïs en boîte, égouttés et émincés
125 g de petits pois surgelés
4 oignons nouveaux, émincés
1 c. s. de sauce de soja

1 Faites chauffer 1 cuillerée à café d'huile d'arachide dans un wok ou une grande poêle à fond épais. Ajoutez la moitié des œufs battus ; faites tourner le wok pour obtenir une omelette fine. Retirez-la du wok. Roulez-la et coupez-la en tranches fines. Répétez l'opération avec le reste des œufs battus.

2 Faites chauffer le reste de l'huile d'arachide dans le wok. Faites dorer le lard. Ajoutez l'oignon, le céleri, l'ail et le gingembre. Prolongez la cuisson à feu vif jusqu'à ce que le céleri soit cuit mais encore tendre.

3 Ajoutez le riz, l'omelette et les autres ingrédients. Mélangez bien le tout et faites revenir encore quelques instants.

Par portion lipides 10,8 g ; 379 kcal

Poulet aux épices

Pour 6 personnes.

PRÉPARATION 15 MINUTES • MARINADE 3 HEURES • CUISSON 15 MINUTES

4 gousses d'ail, pilées

2 c. s. de poivre au citron

**4 piments rouges, épépinés
   et émincés**

125 ml d'eau

2 c. s. de concentré de tamarin

**1 kg de blancs de poulet,
   en tranches fines**

**350 g de haricots verts,
   en tronçons**

1 c. s. d'huile d'arachide

**2 gros oignons rouges,
   en tranches épaisses**

1 c. s. de sucre

60 ml de bouillon de volaille

1 Dans un saladier mélangez le poulet, l'ail, le poivre au citron, les piments, l'eau et le tamarin. Couvrez ; placez au moins 3 heures au réfrigérateur.

2 Faites cuire à l'eau ou à la vapeur les haricots verts qui devront rester tendres. Égouttez-les.

3 Faites chauffer l'huile dans un wok ou une grande poêle. Mettez à revenir le poulet et les oignons rouges, par petites quantités, jusqu'à ce que le poulet soit doré et cuit à point.

4 Incorporez les haricots, le sucre et le bouillon. Prolongez la cuisson à feu vif en remuant jusqu'à ébullition de la sauce qui doit légèrement épaissir.

Par portion lipides 19,3 g ; 488 kcal

Travers de porc aux épices

Pour 4 personnes.

PRÉPARATION 10 MINUTES • CUISSON 30 MINUTES

1,5 kg de travers de porc parés,
   coupés grossièrement
2 c. s. d'huile d'arachide
2 gousses d'ail, pilées
2 c. c. de gingembre frais, râpé
2 c. s. de miel
80 ml de sauce aux piments douce
2 c. s. de sauce aux prunes
2 c. c. de sambal oelek
1 c. s. de sucre roux
1 c. s. de coriandre fraîche, ciselée

1 Faites cuire les travers de porc dans une grande casserole d'eau bouillante, sans les couvrir, 10 minutes environ. Égouttez-les.

2 Faites chauffer l'huile dans un wok ou une grande poêle. Mettez les travers à revenir, par petites quantités, et laissez-les cuire à votre convenance.

3 Ajoutez les autres ingrédients et mélangez. Prolongez la cuisson en remuant jusqu'à ébullition de la sauce qui doit légèrement épaissir.

Par portion lipides 19,3 g ; 416 kcal

Encornets au sel et au poivre

Pour 4 personnes.

PRÉPARATION 30 MINUTES O CUISSON 15 MINUTES

500 g d'encornets, parés
1/2 c. c. de poivre noir, concassé
1 c. c. de sel de mer
1/2 c. c. de poivre au citron
1 c. s. d'huile d'arachide

Salade de concombres
1 pépino, en tranches fines
2 oignons nouveaux, émincés
250 g de tomates cerises, coupées en deux
50 g de cacahuètes grillées, hachées grossièrement
40 g de menthe fraîche
1 c. s. de vinaigre de vin rouge
1 c. s. d'huile d'arachide

1 Coupez les encornets sur un côté ; ouvrez-les. Entaillez l'intérieur en résille à l'aide d'un couteau pointu.

2 Partagez chaque encornet en huit morceaux. Saupoudrez-les d'un mélange de poivre, de sel et de poivre au citron.

3 Faites chauffer l'huile dans un wok ou une grande poêle. Mettez les encornets à revenir, par petites quantités, jusqu'à ce qu'ils rebiquent et soient cuits à point. Servez avec la salade de concombres.

Salade de concombres Mélangez le concombre, les oignons, les tomates, les cacahuètes et la menthe dans un saladier. Ajoutez le vinaigre et l'huile, remuez délicatement.

Par portion lipides 16,7 g ; 265 kcal

Bœuf sauté aux haricots noirs

Pour 4 personnes.

PRÉPARATION 20 MINUTES • MARINADE 4 HEURES • CUISSON 15 MINUTES

**500 g de filet de bœuf,
  en tranches fines**

2 gousses d'ail, pilées

2 c. c. de gingembre frais, râpé

2 c. s. de jus de citron vert

¹/₂ c. c. de sucre

1 c. s. d'huile d'arachide

1 gros oignon, en tranches épaisses

400 g de brocolis, en fleurs

**2 grosses carottes, en rondelles
  fines**

80 ml de sauce de haricots noirs

1 c. s. de sauce de soja

1 c. c. de Maïzena

2 c. s. d'eau

2 c. c. de zeste de citron vert, râpé

1 Dans un saladier, mélangez le bœuf, l'ail, le gingembre, le jus de citron et le sucre ; remuez bien. Couvrez. Placez 4 heures au réfrigérateur.

2 Faites chauffer la moitié de l'huile dans un wok ou une grande poêle. Mettez la viande à revenir, par petites quantités, jusqu'à ce qu'elle soit dorée. Réservez.

3 Faites chauffer le reste de l'huile dans le wok. Faites sauter l'oignon, les brocolis et les carottes 2 minutes environ ; il faut que les légumes restent croquants.

4 Remettez le bœuf dans le wok. Ajoutez les sauces et la Maïzena délayée dans l'eau. Prolongez la cuisson 2 minutes environ en remuant jusqu'à ébullition de la sauce, qui doit légèrement épaissir. Garnissez de zeste de citron.

Par portion lipides 11,9 g ; 299 kcal

Porc aux légumes chinois

Pour 4 personnes.

PRÉPARATION 30 MINUTES • CUISSON 10 MINUTES

500 g de choy sum

350 g de brocolis chinois

500 g de pousses de bok choy

2 c. s. d'huile d'arachide

**4 oignons nouveaux,
 en tronçons de 5 cm**

**200 g de champignons shiitake
 frais, coupés en quatre**

**500 g de porc au barbecue chinois,
 en tranches fines**

300 g de tofu ferme, coupé en dés

100 g de germes de haricots mung

Vinaigrette aux noix de macadamia

**75 g de noix de macadamia
 grillées, hachées menu**

125 ml d'huile d'arachide

60 ml de vin de riz chinois

1 c. s. de sauce de soja

80 ml de vinaigre de riz

1 Parez les légumes verts ; coupez-les grossièrement.

2 Faites chauffer la moitié de l'huile dans un wok ou une grande poêle. Mettez à revenir les champignons et les oignons jusqu'à ce qu'ils soient tendres. Ajoutez le porc ; prolongez la cuisson d'une minute. Réservez.

3 Faites chauffer le reste de l'huile dans le wok. Faites sauter les légumes verts jusqu'à ce qu'ils soient juste flétris.

4 Mélangez délicatement le porc, les légumes, le tofu et les germes de haricots mung dans un saladier avec la vinaigrette.

Vinaigrette Mélangez les ingrédients dans un bocal à couvercle. Secouez bien.

Par portion lipides 77,1 g ; 908 kcal

L'ASTUCE DU CHEF

Vous pouvez vous procurer du porc au barbecue tout prêt dans les épiceries asiatiques et certains restaurants chinois.

Nouilles aux asperges

Pour 4 personnes.

PRÉPARATION 15 MINUTES • CUISSON 10 MINUTES

450 g de nouilles hokkien
1 c. c. d'huile d'arachide
1/4 c. c. d'huile pimentée
2 gousses d'ail, pilées
2 c. c. de gingembre frais, râpé
1 piment rouge frais, émincé
500 g d'asperges parées, coupées en tronçons de 3 cm
1 c. s. de sauce de soja claire
1 c. s. de sauce au barbecue chinois
2 c. c. de vin de riz chinois
2 c. c. de Maïzena
60 ml de bouillon de volaille
4 oignons nouveaux, en tronçons
30 g de crevettes séchées

1 Faites tremper les nouilles dans un récipient d'eau bouillante jusqu'à ce qu'elles soient tendres, puis égouttez-les. Déposez-les dans un saladier. Séparez-les à la fourchette.

2 Faites chauffer les huiles dans un wok ou une grande poêle. Mettez l'ail, le gingembre et le piment ; faites revenir jusqu'à ce que le mélange embaume. Ajoutez et faites sauter les asperges qui devront rester tendres.

3 Incorporez les nouilles, la sauce de soja, la sauce au barbecue, le vin et la Maïzena délayée au bouillon. Prolongez la cuisson en remuant jusqu'à ébullition de la sauce qui doit légèrement épaissir. Ajoutez les oignons et les crevettes. Mélangez à nouveau tous les ingrédients. Servez bien chaud.

Par portion lipides 2,2 g ; 204 kcal

Agneau à l'ail de Mongolie

Pour 4 personnes.

PRÉPARATION 20 MINUTES • MARINADE 1 HEURE • CUISSON 20 MINUTES

1 kg de filet d'agneau, en lanières
1 c. c. de poudre cinq-épices
2 c. c. de sucre
3 gousses d'ail, pilées
1 œuf, légèrement battu
1 c. s. de Maïzena
1 1/2 c. s. de vinaigre de vin de riz
80 ml de sauce de soja
1 c. s. de sauce aux haricots noirs
60 ml d'huile d'arachide
3 oignons moyens, en tranches épaisses
80 ml de bouillon de bœuf
1/4 c. c. d'huile de sésame
2 oignons nouveaux, émincés

1 Dans un saladier, mélangez l'agneau, la poudre cinq-épices, le sucre, l'ail et l'œuf. Dans un récipient délayez la Maïzena avec le vinaigre et la moitié des sauces. Versez dans le saladier. Couvrez ; entreposez 1 heure au réfrigérateur.

2 Égouttez l'agneau au-dessus du saladier. Réservez la marinade. Faites chauffer la moitié de l'huile d'arachide dans un wok ou une grande poêle. Mettez la viande à revenir par petites quantités ; lorsqu'elle est dorée et cuite à point, réservez. Faites chauffer le reste de l'huile d'arachide dans le wok ; saisissez les oignons jusqu'à ce qu'ils blondissent.

3 Remettez la viande dans le wok avec la marinade réservée, le reste des sauces, le bouillon et l'huile de sésame. Prolongez la cuisson en remuant jusqu'à ébullition de la sauce qui doit légèrement épaissir. Ajoutez les oignons au moment de servir.

Par portion lipides 25,3 g ; 519 kcal

Poulet aux cinq-épices

Pour 4 personnes.

PRÉPARATION 20 MINUTES • MARINADE 3 HEURES • CUISSON 25 MINUTES

700 g de blancs de poulet,
   en tranches fines
1 c. c. de zeste de citron vert, râpé
2 c. s. de jus de citron vert
2 gousses d'ail, pilées
2 c. c. de gingembre frais, râpé
1 c. c. de poudre cinq-épices
60 ml de sauce de soja
2 c. s. d'huile d'arachide
250 g de chou chinois, en lanières
120 g de germes de soja, parés
8 oignons nouveaux, en tranches
   épaisses
40 g de coriandre fraîche

1 Dans un saladier mélangez le poulet, le zeste et le jus de citron, l'ail, le gingembre, la poudre cinq-épices et 1 cuillerée à soupe de sauce de soja. Couvrez ; entreposez 3 heures au réfrigérateur.

2 Faites chauffer la moitié de l'huile dans un wok ou une grande poêle ; mettez le poulet à revenir par petites quantités ; lorsqu'il est doré et cuit à point, réservez.

3 Faites chauffer le reste de l'huile dans le wok. Faites sauter le chou, les germes de soja et les oignons jusqu'à ce que le chou soit juste flétri.

4 Remettez le poulet dans le wok avec la coriandre et le reste de la sauce. Prolongez la cuisson en remuant pour bien mélanger les ingrédients. Présentez avec des nouilles de riz frites.

Par portion lipides 18,9 g ; 346 kcal

Mélange de noix à la chinoise

Pour 3 bols.

PRÉPARATION 10 MINUTES
CUISSON 35 MINUTES

225 g de noix de cajou non salées
150 g de noix
2 c. c. de gingembre frais râpé
1 1/2 c. c. de sauce aux piments douce
2 gousses d'ail, pilées
1 c. s. de sauce de soja claire

1 Disposez les noix de cajou sur une plaque du four. Faites-les rôtir à température moyenne 15 minutes environ, jusqu'à ce qu'elles soient légèrement dorées. Laissez refroidir.

2 Mélangez les noix de cajou et les autres ingrédients dans un saladier. Étalez le mélange sur une plaque du four huilée. Faites cuire à température modérée 20 minutes environ, en remuant de temps en temps : les noix doivent être bien croustillantes. Laissez refroidir.

Par bol lipides 71,6 g ; 77 kcal

Croquettes de poisson au curry rouge

Pour 25 croquettes.

PRÉPARATION 45 MINUTES
CUISSON 15 MINUTES

1 kg de petits filets de poisson à chair
    blanche, grossièrement coupés
1 œuf
2 c. c. de coriandre fraîche,
    grossièrement hachée
3 c. c. de sucre
100 g de pâte de curry rouge
100 g de haricots verts, en petits morceaux
huile végétale pour la friture

1 Mixez le poisson, l'œuf, la coriandre, le sucre et la pâte de curry jusqu'à l'obtention d'une pâte lisse et homogène. Mélangez cette pâte et les haricots dans un saladier ; remuez bien.

2 Façonnez 25 boulette avec ce mélange, puis aplatissez-les légèrement.

3 Faites chauffer l'huile dans un wok ou une grande poêle ; faites frire les croquettes, par petites quantités. Lorsqu'elles sont dorées et cuites à point, égouttez-les sur du papier absorbant.

Par croquette lipides 7 g ; 101 kcal

Crevettes au gingembre et au citron

Pour 30 brochettes.

PRÉPARATION 15 MINUTES
MARINADE 1 HEURE
CUISSON 10 MINUTES

30 grosses crevettes crues
2 c. c. de jus de citron
2 c. c. de gingembre frais râpé
1 c. s. de sauce de soja claire
1 c. c. d'huile de sésame
1 pincée de poudre cinq-épices
2 c. s. d'huile d'olive

1 Décortiquez les crevettes en laissant les queues intactes. Dans un saladier, mélangez le jus de citron, le gingembre, la sauce, l'huile de sésame et la poudre cinq-épices. Ajoutez les crevettes. Couvrez et placez 1 heure au réfrigérateur.

2 Juste avant de servir, enfilez les crevettes sur 30 bâtonnets. Faites chauffer l'huile dans une poêle. Saisissez les brochettes jusqu'à ce que les crevettes soient croustillantes.

Par brochette lipides 1,5 g ; 27 kcal

L'ASTUCE DU CHEF
Faites tremper les brochettes en bambou 1 heure dans l'eau pour les empêcher de brûler.

Toasts au poulet et au sésame

Pour 24 toasts.

PRÉPARATION 20 MINUTES
CUISSON 15 MINUTES

250 g de poulet haché
1 gousse d'ail, pilée
1 c. s. de coriandre fraîche, ciselée
1 c. s. de sauce aux piments doux
6 tranches de pain blanc épaisses
50 g de graines de sésame blanc
huile végétale pour friture

1 Mélangez le poulet, l'ail, la coriandre et la sauce dans un petit bol. Enlevez la croûte des tranches de pain ; étalez le mélange à base de poulet sur un côté de chaque tranche. Plongez le pain, du côté tartiné, dans les graines de sésame.

2 Juste avant de servir, faites chauffer l'huile dans un wok ou une grande poêle. Faites frire le pain en plusieurs fois ; lorsqu'il est bien doré égouttez-le sur du papier absorbant. Coupez chaque morceau frit en quatre pour présenter.

Par toast lipides 4,4 g ; 91 kcal

Snacks

Le Japon

Par sa fraîcheur, sa simplicité et sa présentation magnifique,
la cuisine japonaise est un régal tant pour les yeux que pour
le palais. Elle nécessite très peu d'assaisonnement, laissant
ainsi la primauté à la saveur et à la qualité des ingrédients. De
fait, la cuisine japonaise comporte tout ce dont rêvent
les cuisiniers et cuisinières modernes : facile et rapide
à préparer, très faible en matières grasses et délicieuse.

Soupe au miso, au porc et aux haricots verts

Pour 4 personnes.

PRÉPARATION 15 MINUTES • CUISSON 10 MINUTES

1 l de dashi

**100 g de filet de porc,
en tranches fines**

**8 haricots verts, en tronçons
de 2 cm**

**75 g de pâte de miso rouge
(karakuchi)**

**2 c. c. de jus de gingembre
2 oignons nouveaux, émincés**

1 Portez le bouillon à ébullition dans une casserole. Ajoutez le porc et les haricots ; faites bouillir à nouveau. Laissez ensuite mijoter 2 minutes sans couvrir à feu doux.

2 Mettez la pâte de miso dans un récipient. Ajoutez progressivement 250 ml de bouillon chaud en remuant jusqu'à ce que le miso soit dissous. Incorporez-le au contenu de la casserole. Remuez pour bien mélanger. Portez à ébullition. Retirez aussitôt du feu.

3 Répartissez la soupe dans les bols de service. Ajoutez une demi-cuillerée à café de jus de gingembre dans chaque bol. Garnissez d'oignons nouveaux et servez aussitôt.

Par portion lipides 1,9 g ; 67 kcal

LES ASTUCES DU CHEF

• Vous obtiendrez du jus de gingembre en râpant du gingembre vert ou en pressant un peu de gingembre vert haché grossièrement dans un presse-ail. Vous aurez besoin de 2 cuillerées à soupe de gingembre râpé pour l'équivalent de 2 cuillerées à café de jus de gingembre.

• Ne faites pas cuire la soupe trop longtemps après l'adjonction du miso. Elle perdrait son arôme.

Soupe au bœuf et au riz

Pour 4 personnes.

PRÉPARATION 10 MINUTES • CUISSON 10 MINUTES

1,25 l de dashi

3 c. c. de sauce de soja claire

600 g de riz koshihikari cuit, chaud

**150 g de filet de bœuf maigre,
  coupé en tranches extra-fines**

**2 c. c. de graines de sésame blanc,
  grillées**

2 oignons nouveaux, émincés

2 c. c. de wasabi

1 Portez le bouillon et la sauce de soja à ébullition dans une casserole. Ajoutez le bœuf ; faites bouillir à nouveau. Laissez mijoter 2 minutes à feu doux sans couvrir.

2 Répartissez le riz dans les bols de service. Disposez le bœuf, les graines de sésame et les oignons nouveaux sur le riz. Versez la soupe dans les bols sans mélanger.

3 Servez la soupe aussitôt. Présentez le wasabi à part, dans des coupelles individuelles.

Par portion lipides 3,4 g ; 256 kcal

LES ASTUCES DU CHEF

• Le bœuf est plus facile à découper en tranches fines si vous l'enveloppez dans un film étirable avant de le placer 1 heure environ au congélateur. Il cuira dans le bouillon s'il est coupé suffisamment fin ; sinon vous pouvez faire griller le bœuf non tranché dans une poêle non adhésive, ce qui donnera davantage de goût à la soupe.

• Faute de riz koshihikari, choisissez un riz blanc à grains moyens. On peut aussi substituer des filets de poisson à chair blanche au bœuf et remplacer le wasabi par un mélange sept-épices (shichimi togarashi) ou du piment. On emploie parfois du thé vert en guise de bouillon à la place du dashi.

Riz pour sushi

Pour 9 bols de riz.

PRÉPARATION 10 MINUTES • ÉGOUTTAGE 30 MINUTES • CUISSON 12 MINUTES •
REPOS 10 MINUTES

600 g de riz à grains ronds
750 ml d'eau

Sauce au vinaigre
125 ml de vinaigre de riz
55 g de sucre
1/2 c. c. de sel

1 Mettez le riz dans un grand saladier. Remplissez le récipient d'eau. Remuez avec la main ; égouttez. Répétez l'opération 3 ou 4 fois jusqu'à ce que l'eau soit presque limpide. Laissez le riz s'égoutter dans une passoire au moins 30 minutes.

2 Transvasez le riz égoutté dans une casserole remplie d'eau ; couvrez. Portez à ébullition. Laissez ensuite mijoter à feu doux pendant 12 minutes environ, jusqu'à ce que toute l'eau se soit évaporée. Retirez du feu et laissez reposer 10 minutes à couvert.

3 Étalez le riz dans un grand récipient à fond plat non métallique (de préférence en bois). À l'aide d'une pelle à riz ou d'une spatule, remuez délicatement le riz pour éliminer les boulettes et séparer les grains. En même temps, arrosez-le progressivement de sauce au vinaigre. Vous n'aurez peut-être pas besoin de toute la sauce car le riz doit être à peine humide.

4. Continuez à entailler le riz d'une main en soulevant et en retournant les grains des bords vers le centre (sans remuer car cela écrase les grains).

4 Éventez le riz pendant 5 minutes sans cesser de le mélanger délicatement, jusqu'à ce qu'il soit à température ambiante. Couvrez-le d'un torchon humide pour l'empêcher de sécher pendant que vous confectionnez les sushi.

Sauce au vinaigre Mélangez le vinaigre, le sucre et le sel dans un petit bol jusqu'à ce que le sucre soit dissous. Pour une sauce légèrement moins acide, faites-la chauffer brièvement avant de l'utiliser.

Par bol lipides 0,3 g ; 259 kcal

LES ASTUCES DU CHEF
• Des sushi réussis dépendent en grande partie du riz vinaigré (sumeshi), qui doit être parfaitement cuit et refroidi comme il convient. Utilisez un riz à grains courts, comme le koshihikari, dont la texture et la consistance sont parfaites pour les sushi.
• Ajoutez un peu de mirin ou de saké à la sauce au vinaigre. Vous pouvez préparer cette sauce à l'avance et la conserver au réfrigérateur. Vous trouverez de la sauce toute prête dans les magasins asiatiques.

Rouleaux de sushi

Pour 16 rouleaux.

PRÉPARATION 30 MINUTES

**3 bols de riz pour sushi
(voir recette p. 46)**

**4 feuilles de yaki-nori (algues)
grillées**

1 gros avocat

1 c. s. de jus de citron

2 c. s. de mayonnaise

1 c. c. de wasabi

**4 bâtonnets de surimi, coupés
en quatre dans la longueur**

**1 pépino, épépiné et coupé en
16 lanières dans la longueur**

**1 c. c. de graines de sésame noires,
grillées**

125 ml de sauce de soja japonaise

**2 c. s. de gari (gingembre rose
en saumure)**

1 Mettez le riz pour sushi dans un récipient de service non métallique. Couvrez d'un tissu humide. Coupez les feuilles d'algue en quatre. Couvrez-les de film étirable jusqu'au moment de servir. (Les algues doivent être conservées couvertes parce qu'elles ramollissent et flétrissent quand elles sont exposées à l'humidité de l'air.) Détaillez l'avocat en tranches fines. Badigeonnez-le de jus de citron pour l'empêcher de noircir ; couvrez-le. Mélangez la mayonnaise et le wasabi dans un bol ; couvrez.

2 Pour chaque rouleau, procédez de la manière suivante : placez un quart de feuille d'algue, côté brillant en dessous, en diagonale dans une main. Trempez les doigts de l'autre main dans un petit bol d'eau vinaigrée. Après avoir secoué l'excédent, prenez environ la valeur de 2 cuillerées à soupe de riz. Déposez-le au centre de la feuille d'algue, puis « ratissez » le riz vers le coin supérieur de la feuille. Faites un léger sillon au milieu du riz pour la garniture.

3 Avec le bout d'un doigt, étalez une touche de mayonnaise au wasabi dans le sillon ainsi creusé. Garnissez avec une tranche d'avocat, de surimi et de concombre, puis saupoudrez d'une petite pincée de graines de sésame.

4 Repliez un côté de l'algue pour qu'il colle au riz. Repliez l'autre côté afin de former un cône. Vous pouvez replier la pointe du cône pour que le « cornet » conserve sa forme.

5 Servez avec la sauce de soja et le gari.

Par portion lipides 5 g ; 159 kcal

LES ASTUCES DU CHEF

Vous pouvez confectionner ces rouleaux avec des demi-feuilles d'algues rôties. Suggestion de garnitures :
• Concombre, saumon fumé, avocat, aneth frais.
• Crevettes cuites décortiquées, daikon en condiment, germes de pois mange-tout et oignons nouveaux.
• Thon sashimi, œufs de saumon, avocat, salade en lanières et concombre.
• Saumon sashimi, mayonnaise au wasabi, oignons nouveaux et asperges cuites.
• Carottes en lanières, avocat, oignons nouveaux, germes de pois mange-tout et omelette japonaise.

Dashi aux nouilles et aux champignons

Pour 6 personnes.

PRÉPARATION 5 MINUTES • TREMPAGE 20 MINUTES • CUISSON 15 MINUTES

100 g de nouilles somen
3 champignons shiitake séchés
1 citron
2 c. c. de dashi en poudre
1,5 l d'eau
2 c. s. de saké pour la cuisine
2 c. s. de mirin
2 c. s. de sauce de soja japonaise

1 Faites cuire les nouilles dans une casserole d'eau bouillante, sans les couvrir, jusqu'à ce qu'elles soient juste tendres. Égouttez-les.

2 Pendant ce temps, déposez les champignons dans un bol résistant à la chaleur ; couvrez-les d'eau bouillante. Laissez reposer 20 minutes ; égouttez. Jetez les tiges ; détaillez les chapeaux en tranches fines.

3 À l'aide d'un couteau économe, prélevez le zeste du citron en longues lamelles que vous découperez ensuite en fines lanières.

4 Mélangez le reste des ingrédients dans une casserole ; portez à ébullition. Laissez ensuite mijoter 10 minutes sans couvrir à feu doux.

5 Juste avant de passer à table, répartissez les nouilles, les champignons et le citron dans les bols de service, puis recouvrez le tout de bouillon chaud.

Par portion lipides 0,2 g ; 86 kcal

L'ASTUCE DU CHEF

On peut ajouter au bouillon quelques pois mange-tout ou des haricots verts en morceaux, du daikon ou de la patate douce râpée, des champignons shiitake frais ou encore de l'algue séchée en lanières (wakame ou kombu), ainsi que des germes de soja et du tofu.

Sashimi de thon

Pour 4 personnes.

PRÉPARATION 10 MINUTES • TREMPAGE 15 MINUTES

200 g de daikon, en fines lanières
400 g de thon extra-frais
2 c. c. de wasabi
**2 c. s. de gari (gingembre rose
  mariné)**

Sauce ponzu
60 ml de jus de citron
60 ml de sauce de soja japonaise
60 ml d'eau ou de dashi
120 g de daikon râpé

1 Faites tremper le daikon 15 minutes dans un bol d'eau glacée ; égouttez-le bien.

2 Posez le thon sur une planche à découper. À l'aide d'un couteau bien aiguisé, découpez-le en tranches de 6 mm d'épaisseur en tenant le morceau de poisson avec les doigts et en coupant presque à l'horizontale.

3 Répartissez les tranches de thon dans les assiettes de service. Édifiez un petit monticule de daikon près du thon sur chaque assiette.

4 Garnissez les assiettes de wasabi et de gingembre ; présentez avec des coupelles individuelles de sauce ponzu.

Sauce ponzu Mélangez le jus de citron, la sauce de soja et l'eau dans un bol. Pressez le daikon pour éliminer l'excédent d'eau ; façonnez un petit monticule et déposez-le au centre de la sauce ou dans un autre bol de service.

Par portion lipides 6,3 g ; 185 kcal

LES ASTUCES DU CHEF

• Pour les sashimi et les sushi, il faut choisir un poisson de saison extra-frais à la qualité irréprochable. Il doit avoir une texture ferme, une agréable odeur de mer, des ouïes rouge vif et des yeux clairs et brillants.

• Achetez un poisson entier que vous découperez vous-même en filets ou utilisez des filets ou des darnes déjà préparés par votre poissonnier.

• Les tranches de poisson se décolorent rapidement une fois coupées. Il est donc préférable de ne pas les détailler à l'avance. De même, la chair du thon peut avoir trois teintes distinctes, allant du rose au rouge foncé selon la partie du poisson d'où elle provient.

• Si vous décidez de trancher vous-même votre poisson, utilisez un couteau bien aiguisé doté d'une lame très fine, longue et flexible. Ne le sciez pas, mais coupez-le franchement.

Raviolis frits (gyoza)

Pour 30 raviolis.

PRÉPARATION 20 MINUTES • RÉFRIGÉRATION 1 HEURE • CUISSON 10 MINUTES

300 g de porc haché
2 c. s. de sauce de soja japonaise
1 pincée de poivre blanc
1 c. c. de sucre
1 c. s. de saké
1 œuf, légèrement battu
2 c. c. d'huile de sésame
350 g de chou, en fines lanières
4 oignons nouveaux, émincés
30 carrés de pâte pour raviolis
1 c. s. d'huile végétale

1 Mélangez le porc dans un récipient avec la sauce de soja, le poivre, le sucre, le saké, l'œuf, l'huile de sésame, le chou et les oignons. Entreposez 1 heure au réfrigérateur.

2 Humidifiez un bord de chacun des carrés de pâte pour raviolis. Placez environ 2 cuillerées à café du mélange à base de porc au centre de chaque carré ; refermez la pâte sur la garniture. Pincez les bords pour enfermer la garniture.

3 Remplissez d'eau une sauteuse. Lorsque l'eau bout, plongez les raviolis dans le récipient. Couvrez et laissez cuire 3 minutes à feu doux. Égouttez. Séchez la poêle.

4 Faites chauffer l'huile dans la même poêle ; faites revenir les raviolis d'un côté seulement jusqu'à ce qu'ils soient dorés.

Par ravioli lipides 1,8 g ; 38 kcal

L'ASTUCE DU CHEF

Ajoutez des crevettes coupées en petits morceaux, du fromage, des poivrons ou des œufs brouillés à la garniture, si vous le désirez. Servez avec un mélange de sauce de soja et d'huile de piments, de sauce de soja et de vinaigre de riz ou avec de la sauce ponzu (voir page 50).

Bœuf au soja doux

Pour 4 personnes.

PRÉPARATION 10 MINUTES • CUISSON 10 MINUTES

200 g de shirataki (nouilles translucides)

125 ml de sauce de soja japonaise

1 c. s. de sucre

60 ml de mirin

300 g de filet de bœuf, en très fines tranches

2 oignons nouveaux, en tronçons de 2 cm

2 c. c. de jus de gingembre

750 g de riz koshihikari cuit, chaud

1 Plongez les nouilles dans une casserole d'eau bouillante. Laissez cuire 1 minute en séparant les nouilles avec des baguettes. Égouttez-les. Détaillez-les en tronçons de 10 cm.

2 Versez la sauce de soja, le sucre et le mirin dans une sauteuse ; portez à ébullition. Ajoutez le bœuf ; faites bouillir de nouveau. Laissez mijoter à feu doux en remuant de temps en temps jusqu'à ce que le bœuf change de couleur. Égouttez la viande au-dessus de la sauteuse. Réservez.

3 Mettez dans la sauteuse les oignons et les nouilles ; faites mijoter 3 minutes environ jusqu'à ce que les oignons soient tendres. Remettez le bœuf. Ajoutez le jus de gingembre ; réchauffez.

4 Répartissez le riz dans les bols de service. Recouvrez avec le mélange à base de bœuf et versez 60 ml de sauce environ. Servez aussitôt.

Par portion lipides 7,1 g ; 454 kcal

LES ASTUCES DU CHEF

• Vous aurez besoin de 400 g de riz non cuit pour obtenir 750 g de riz cuit chaud. Le jus de gingembre est facultatif. Pour 2 cuillerées à café de jus de gingembre, il vous faudra environ 2 cuillerées à soupe de gingembre frais râpé.

• Vous aurez moins de difficultés à couper le bœuf si vous le mettez 1 heure environ au congélateur, enveloppé dans du film étirable.

• Vous pouvez remplacer les nouilles shirataki par du riz ou par des vermicelles de soja, plus facile à trouver.

Fondue japonaise

Pour 4 personnes.

PRÉPARATION 20 MINUTES • CUISSON 10 MINUTES

400 g de shirataki (nouilles translucides)

300 g de tofu ferme

12 champignons shiitake, frais

600 g de filet de bœuf, en tranches fines

4 petits poireaux, lavés, en tronçons de 2 cm

6 feuilles de chou chinois, coupées grossièrement

100 g de pousses de bambou, en tranches fines

Sauce ponzu (voir recette page 50)

120 g de momiji oroshi (radis en feuille d'érable), ou de daikon râpé fin, bien égoutté

4 oignons nouveaux, émincés

1 morceau de kombu (algue séchée) de 10 cm, coupé en quatre

1,5 l d'eau ou de dashi

Radis en feuille d'érable (momiji oroshi)

1 morceau de daikon de 6 cm de long et 5 cm de diamètre, pelé

4 piments rouges forts, séchés

1 Faites tremper les nouilles 1 minute dans de l'eau bouillante ; égouttez-les. Découpez-les en tronçons de 10 cm.

2 Pressez le tofu entre deux planches à découper en posant un poids dessus ; soulevez d'un côté. Laissez reposer 25 minutes. Détaillez le tofu égoutté en dés de 2 cm.

3 Ôtez les queues des champignons ; faites une croix sur chaque chapeau. Disposez le bœuf, le tofu et les légumes sur un plat de service.

4 Répartissez la sauce ponzu, le radis et les oignons dans des bols de service.

5 Pratiquez quelques entailles le long des bords du kombu pour en libérer l'arôme. Mettez le kombu dans une casserole et versez dessus l'eau ou le dashi ; portez à ébullition. Retirez l'algue aussitôt. Laissez mijoter le bouillon à feu doux.

6 Présentez le bouillon au centre de la table, sur un chauffe-plat pour qu'il continue de mijoter. Chaque convive y plongera les ingrédients de son choix. Dès qu'ils seront cuits, il les dégustera avec la sauce ponzu. Pendant le repas, écumez régulièrement la surface du bouillon et ajoutez si nécessaire un peu d'eau ou de dashi.

Radis en feuille d'érable À l'aide d'une baguette, pratiquez quatre trous à une extrémité du daikon. Épépinez les piments et enfoncez-les dans les cavités ainsi formées. Râpez le daikon et les piments avec une râpe très fine en effectuant un geste circulaire. Pressez pour éliminer l'excédent de liquide. Façonnez des petits monticules et disposez-les dans des coupelles individuelles.

Par portion lipides 23,5 g ; 612 kcal

LES ASTUCES DU CHEF

• Une fois que vous avez dégusté la viande et les légumes, vous pouvez boire le bouillon dans des bols en y ajoutant des nouilles ou du riz.

• Vous pouvez remplacer les shirataki par des nouilles harusame ou par des vermicelles de soja, plus facile à trouver.

Épinards aux graines de sésame

Pour 4 personnes.

PRÉPARATION 5 MINUTES • CUISSON 15 MINUTES

50 g de graines de sésame blanches

1 c. c. de sucre

1 ¹/₂ c. s. de sauce de soja japonaise

60 ml de dashi

600 g d'épinards, parés

1 Faites griller les graines de sésame dans une petite poêle chauffée, sans huile, en remuant continuellement le récipient jusqu'à ce que les graines soient légèrement dorées et commencent à sauter. Retirez du feu ; réservez 1 cuillerée à café pour la garniture. Mixez les graines encore chaudes jusqu'à obtention d'une pâte lisse. Mélangez-les avec le sucre, la sauce de soja et le dashi dans un bocal à couvercle hermétique ; secouez bien jusqu'à ce que le sucre soit dissous.

2 Lavez les épinards avec soin. Plongez-les dans une grande casserole d'eau bouillante. Égouttez immédiatement ; rincez-les sous l'eau froide pour interrompre la cuisson et leur permettre de conserver leur couleur. Enveloppez les épinards dans une natte en bambou. Roulez fermement ; pressez doucement pour éliminer l'excédent d'eau. Coupez les épinards en tronçons de 3 cm ; disposez-les sur un plat de service.

3 Juste avant de servir, versez la vinaigrette aux graines de sésame sur les épinards. Servez à température ambiante et saupoudrez des graines de sésame réservées.

Par portion lipides 7,2 g ; 92 kcal

LES ASTUCES DU CHEF

• Vous pouvez remplacer les épinards par des haricots ou du cresson et substituer des cacahuètes ou des noix de macadamia aux graines de sésame.

• Garnissez les épinards cuits avec des flocons de bonite séchés et fumés (katsuobushi), si vous le désirez.

Soba au bouillon

Pour 4 personnes.

PRÉPARATION 10 MINUTES • CUISSON 15 MINUTES

200 g de nouilles soba sèches
750 ml de dashi
60 ml de sauce de soja japonaise
2 c. s. de mirin
1 c. c. de sucre
1 c. s. d'huile végétale
**400 g de blancs de poulet,
  en tranches fines**
2 poireaux moyens, émincés
**1/4 c. c. de poudre sept-épices
  (shichimi togarashi)**

1 Faites cuire les nouilles dans une grande casserole d'eau bouillante sans les couvrir jusqu'à ce qu'elles soient juste tendres. Égouttez-les ; couvrez-les pour les maintenir au chaud.

2 Mélangez le bouillon, 2 cuillerées à soupe de sauce de soja, la moitié du mirin et la moitié du sucre dans une casserole ; portez à ébullition. Retirez du feu et couvrez pour garder au chaud.

3 Faites chauffer l'huile dans une poêle ; faites sauter le poulet et les poireaux en remuant ; laissez cuire quelques instants. Incorporez le reste de la sauce, du mirin et du sucre. Portez à ébullition.

4 Répartissez les nouilles dans les bols de service ; garnissez avec le mélange à base de poulet. Couvrez de bouillon ; saupoudrez de poudre sept-épices.

Par portion lipides 11,2 g ; 394 kcal

L'ASTUCE DU CHEF
Ajoutez 1 cuillerée à soupe de gingembre frais râpé au bouillon pour relever le goût.

Méli-mélo de crevettes, poulet et bœuf

Pour 4 personnes.

PRÉPARATION 20 MINUTES • MARINADE 20 MINUTES • CUISSON 20 MINUTES

4 grosses crevettes crues

2 gousses d'ail, pilées

60 ml de sauce de soja japonaise

1 piment rouge, épépiné et émincé

350 g de blancs de poulet avec peau, coupés en morceaux de 5 cm

500 g de filet de bœuf, en tranches fines

4 champignons shiitake frais

1 oignon moyen, émincé

50 g de pois mange-tout, parés

1 poivron rouge moyen, épépiné et grossièrement coupé

4 oignons nouveaux, en tranches fines

Sauce d'accompagnement

125 ml de sauce de soja japonaise

1 c. s. de mirin

1 c. s. de sucre roux

1 c. s. de gingembre frais, râpé

1/2 c. c. d'huile de sésame

1 Décortiquez les crevettes en laissant les queues intactes. Mélangez l'ail, la sauce de soja et le piment dans un saladier. Ajoutez les crevettes, le poulet et le bœuf. Laissez mariner 20 minutes. Égouttez.

2 Ôtez les queues des champignons. Faites une croix sur chaque chapeau. Sur un plat de service, disposez les crevettes, le poulet et le bœuf ainsi que les champignons, l'oignon émincé, les pois mange-tout et le poivron.

3 Préchauffez un gril (ou un barbecue) et faites cuire par petites quantités les ingrédients ci-dessus en prenant soin de ne pas trop prolonger la cuisson des légumes, qui devront garder tout leur croquant.

4 Continuez à faire cuire de petites quantités d'ingrédients tout au long du repas. Servez avec les oignons nouveaux et la sauce d'accompagnement.

Sauce d'accompagnement Mélangez les ingrédients dans une casserole ; faites cuire, en remuant, jusqu'à ce que le sucre soit dissous. Présentez la sauce dans des coupelles individuelles.

Par portion lipides 15,9 g ; 407 kcal

LES ASTUCES DU CHEF
- Vous pouvez baisser la température une fois que la cuisson a commencé.
- Aucun des ingrédients ne devrait cuire plus de 8 minutes.
- Vous pouvez remplacer le filet de bœuf par du rumsteck.

Tempura de merlan

Pour 4 personnes.

PRÉPARATION 10 MINUTES • CUISSON 15 MINUTES

I œuf
180 ml d'eau glacée
75 g de farine
75 g de Maïzena
huile végétale pour la friture
12 filets de merlan
60 ml de sauce de soja japonaise
2 c. s. de sauce aux piments douce
2 c. s. d'eau
I c. s. de jus de citron
2 oignons nouveaux, émincés

1 Fouettez l'œuf et l'eau dans un saladier ; ajoutez la farine et la Maïzena tamisées d'un seul coup. Ne remuez pas trop ; le mélange doit être grumeleux.

2 Faites chauffer l'huile dans un wok ou une grande poêle. Plongez les filets de poisson, un par un, dans la pâte. Faites-les frire, par petites quantités, dans l'huile chaude, jusqu'à ce qu'ils soient bien dorés et cuits.

3 Égouttez les filets de poisson sur du papier absorbant ; servez aussitôt ou bien placez les filets cuits dans le four à basse température pour les garder au chaud jusqu'à ce qu'ils soient tous cuits.

4 Présentez le poisson avec les sauces mélangées avec l'eau, le jus de citron et les oignons.

Par portion lipides 19,1 g ; 488 kcal

L'ASTUCE DU CHEF
Si les filets de poisson sont destinés à être mangés avec les doigts, détaillez-les en morceaux de la taille d'une bouchée avant de les enrober de pâte.

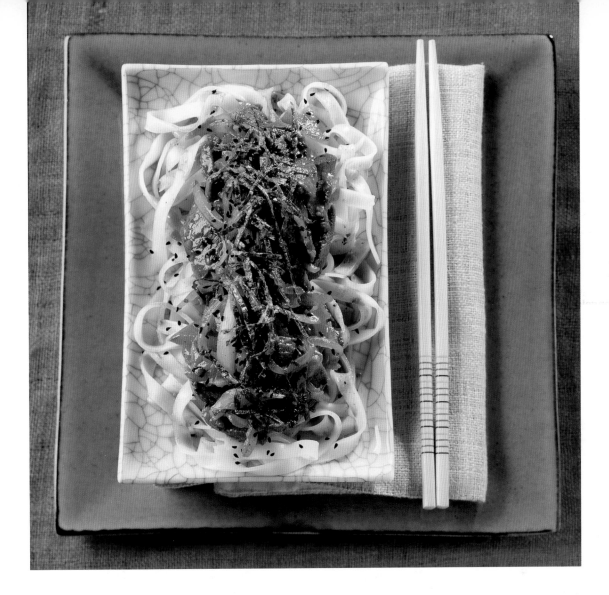

Bœuf teriyaki

Pour 4 personnes.

PRÉPARATION 20 MINUTES • MARINADE 3 HEURES • CUISSON 10 MINUTES

700 g de filet de bœuf,
en tranches fines

60 ml de mirin

60 ml de ketjap manis

1 c. s. de vinaigre de riz

1 c. s. de sucre de palme, haché

60 ml de jus de citron vert

2 gousses d'ail, pilées

3 piments rouges frais,
épépinés et émincés

1 c. s. de gingembre confit,
grossièrement coupé

2 c. c. d'huile de sésame

375 g de nouilles de riz fraîches

2 c. s. d'huile d'arachide

3 petits oignons rouges, émincés

2 c. s. de graines de sésame noires

2 feuilles d'algues rôties
(yaki-nori), en lanières

1 Dans un saladier, mélangez le bœuf, le mirin, le ketjap manis, le vinaigre, le sucre, le jus de citron vert, l'ail, les piments, le gingembre et l'huile de sésame. Couvrez ; placez au moins 3 heures au réfrigérateur.

2 Mettez les nouilles dans un saladier résistant à la chaleur. Couvrez-les d'eau bouillante ; laissez reposer jusqu'à ce qu'elles soient tendres. Égouttez-les ; gardez-les au chaud. Égouttez la viande au-dessus du saladier ; réservez la marinade.

3 Faites chauffer l'huile d'arachide dans un wok ou une grande poêle ; mettez le bœuf à revenir avec les oignons, jusqu'à ce qu'ils soient bien dorés. Ajoutez la marinade réservée ; prolongez la cuisson jusqu'à ébullition.

4 Servez les nouilles garnies de bœuf et de sauce ; saupoudrez de graines de sésame et d'algues rôties en lanières.

Par portion lipides 24, 2 g ; 712 kcal

Tempura de légumes

Pour 4 personnes.

PRÉPARATION 20 MINUTES • CUISSON 20 MINUTES

250 g de tofu ferme

1 oignon moyen

**1 petite racine de lotus frais,
    ou congelé**

8 champignons shiitake frais

**2 feuilles de yaki-nori (algues
    frites)**

**20 g de harusame (vermicelles
    de soja secs), coupés en deux**

huile végétale pour la friture

farine

**120 g de citrouille,
    en tranches fines**

**50 g de haricots verts,
    coupés en deux**

**1 petite patate douce,
    en tranches fines**

1 mini-aubergine, en tranches fines

**1 petit poivron rouge, épépiné,
    coupé en petits carrés**

**1 carotte moyenne,
    en tranches fines**

1 citron, en quartiers

Pâte

1 œuf, légèrement battu

500 ml d'eau de Seltz, glacée

150 g de farine blanche

150 g de farine de maïs

Sauce d'accompagnement

250 ml de dashi

80 ml de mirin

80 ml de sauce de soja claire

**120 g de daikon râpé,
    bien égoutté**

3 c. c. de gingembre frais, râpé

1 Pressez le tofu entre deux planches à découper en posant un poids dessus. Laissez reposer 25 minutes ; coupez le tofu en dés de 2 cm.

2 Coupez l'oignon en deux. Insérez des cure-dents à intervalles réguliers pour maintenir les lamelles d'oignon ensemble. Coupez entre les cure-dents.

3 Pelez la racine de lotus. Détaillez-la en tranches. Mettez-la dans l'eau avec un soupçon de vinaigre pour l'empêcher de brunir. Si vous utilisez du lotus en boîte, égouttez-le et coupez-le en tranches. Ôtez les queues des champignons. Faites une croix sur chaque chapeau.

4 Coupez une feuille d'algue en carrés de 5 cm. Coupez l'autre feuille en deux et détaillez-la en lanières de 2 cm de large. Badigeonnez ces lanières d'eau, puis utilisez-les pour entourez de petits fagots de vermicelles, en serrant bien.

5 Faites chauffer l'huile à 170 °C dans une friteuse. À l'exception des carrés d'algue et des quartiers de citron, saupoudrez tous les ingrédients de farine, en les secouant pour éliminer l'excédent. Plongez les carrés d'algue et les autres ingrédients dans la pâte ; égouttez l'excédent. Faites frire une partie des ingrédients, jusqu'à ce qu'ils soient dorés. Égouttez sur du papier absorbant. Répétez l'opération avec le reste des ingrédients en procédant en plusieurs fois ; assurez-vous que l'huile a eu le temps de revenir à la bonne température avant de commencer une nouvelle friture.

6 Terminez par les fagots de vermicelles et présentez-les en garniture.

7 Servez aussitôt avec des quartiers de citron et des coupelles de sauce chaude pour tremper.

Pâte Mélangez l'œuf et l'eau dans un bol. Ajoutez les farines tamisées en mélangeant délicatement jusqu'à ce que tous les ingrédients soient amalgamés.

Sauce d'accompagnement Mélangez le dashi, le mirin et la sauce dans une casserole moyenne ; faites chauffer à feu doux. Répartissez le mélange dans quatre coupelles. Façonnez le daikon en quatre petites pyramides et garnissez-en les coupelles. Répartissez le gingembre dans les coupelles.

Par portion lipides 37,2 g ; 808 kcal

LES ASTUCES DU CHEF

• Pour que les légumes à cuisson plus lente (patate douce et citrouille) cuisent à la même vitesse que les autres (les courgettes par exemple), veillez à ne pas les détailler en morceaux trop grands ni trop épais.

• Utilisez toujours de l'huile fraîche et propre et maintenez-la à une température constante pendant la cuisson. Pour les légumes, mieux vaut une température relativement élevée (170 °C). Pour les poissons et fruits de mer, généralement apprêtés après les légumes, la température devra être légèrement supérieure.

Poches de tofu farcies

Pour 10 poches.

PRÉPARATION 35 MINUTES

80 g de vermicelles de soja
80 ml de vinaigre de riz assaisonné
10 oignons nouveaux
10 poches de tofu frites
1/2 pépino, détaillé en allumettes
30 g de gingembre rose mariné (gari), égoutté
2 c. c. de wasabi
60 ml d'huile d'arachide
1/4 c. c. d'huile de sésame
1 c. c. de sauce de soja japonaise
1/2 c. c. de sucre

1 Mettez les vermicelles dans un saladier résistant à la chaleur ; couvrez-les d'eau bouillante. Laissez reposer jusqu'à ce qu'ils soient tendres. Rincez-les sous l'eau froide ; égouttez-les. Remettez-les dans le saladier. Ajoutez la moitié du vinaigre. Tapissez un plat de film étirable ; étalez les vermicelles dessus. Couvrez ; entreposez-les au réfrigérateur pour les refroidir.

2 Coupez la partie verte des oignons en tronçons de 15 cm environ. Mettez-les dans un bol résistant à la chaleur ; couvrez-les d'eau bouillante. Laissez reposer 5 minutes. Rincez-les sous l'eau froide ; égouttez-les.

3 Ouvrez délicatement les poches de tofu. Garnissez-les de vermicelles, de concombre, de gingembre et de la moitié du wasabi.

4 Utilisez la tige verte des oignons pour refermer les poches. Dans un petit bol, mélangez le vinaigre, le reste du wasabi, le sucre, les huiles et les sauces. Servez cette sauce avec les poches de tofu.

Par poche lipides 11,8 g ; 168 kcal

Rouleaux de bœuf farcis aux légumes

Pour 4 personnes.

PRÉPARATION 10 MINUTES • CUISSON 15 MINUTES

2 carottes moyennes

6 asperges, coupées en deux dans le sens de la longueur

3 oignons nouveaux

12 tranches fines de filet de bœuf

2 c. s. de Maïzena

1 c. s. d'huile végétale

1 c. s. de sucre

60 ml de mirin

2 c. s. de saké

60 ml de sauce de soja japonaise

50 g de germes de pois mange-tout

1 À l'aide d'un économe, détaillez la carotte en fines lanières dans le sens de la longueur. Coupez ces lanières de la même largeur que le bœuf. Mettez les asperges dans un saladier résistant à la chaleur ; couvrez-les d'eau bouillante. Laissez reposer 2 minutes. Rincez-les sous l'eau froide ; égouttez-les. Coupez les asperges et les oignons en tranches de la même épaisseur que le bœuf.

2 Étalez les tranches de bœuf sur un plat. Saupoudrez-les d'une cuillerée à soupe de Maïzena. Disposez deux morceaux de carotte et d'oignon, puis un tronçon d'asperge sur le côté saupoudré du bœuf ; roulez. Attachez les rouleaux avec de la ficelle de cuisine ou des cure-dents. Saupoudrez légèrement les rouleaux avec le reste de Maïzena.

3 Faites chauffer l'huile dans une poêle. Faites dorer légèrement les rouleaux de chaque côté ; réservez. Essuyez la poêle avec du papier absorbant. Remettez les rouleaux dans la poêle. Ajoutez le sucre, le mirin, le saké et la sauce mélangés ; portez à ébullition. Laissez mijoter à feu doux en retournant de temps en temps les rouleaux. Si vous préférez une sauce plus épaisse, retirez les rouleaux et faites bouillir la sauce jusqu'à ce qu'elle réduise, puis remettez les rouleaux dans la poêle.

4 Lorsque les rouleaux sont cuits ; laissez-les refroidir 2 minutes. Ôtez les cure-dents ; coupez les rouleaux en deux. Disposez-les sur un plat de service avec les germes de pois mange-tout. Présentez avec le reste de la sauce.

Par portion lipides 10,8 g ; 306 kcal

LES ASTUCES DU CHEF
• Vous pouvez garnir les rouleaux de légumes crus (dans ce cas, il faudra les couper plus fin).
• Vous trouverez des tranches de bœuf très fines, appelées bœuf yakiniku ou sukiyaki dans les épiceries japonaises.
• Pour confectionner des rouleaux plus importants, utilisez deux tranches de viande en les faisant se chevaucher légèrement.

Dashi au tofu frit

Pour 4 personnes.

PRÉPARATION 15 MINUTES • REPOS 25 MINUTES • CUISSON 15 MINUTES

300 g de tofu ferme
2 c. s. de Maïzena
huile végétale pour friture
180 ml de dashi
2 c. s. de sauce de soja japonaise
2 c. s. de mirin
2 c. s. de daikon râpé fin
1 c. s. de gingembre frais râpé
1 oignon nouveau, émincé
2 c. c. de paillettes de bonite fumée séchée (katsuobushi)

1 Pressez le tofu entre deux planches à découper en posant un poids au-dessus. Laissez reposer 25 minutes.

2 Coupez le tofu en 8 morceaux égaux ; séchez-les entre deux épaisseurs de papier absorbant. Plongez-les dans la Maïzena et secouez-les pour éliminer l'excédent. Faites chauffer l'huile dans une casserole moyenne ou une friteuse. Mettez le tofu à frire par petites quantités, jusqu'à ce qu'il soit bien doré. Égouttez-le sur du papier absorbant.

3 Mélangez le dashi, la sauce de soja et le mirin dans une casserole ; faites chauffer. Répartissez le daikon, le gingembre et l'oignon dans les bols de service. Versez dessus le mélange à base de dashi. Garnissez avec des paillettes de bonite. Présentez avec les morceaux de tofu frits.

Par portion lipides 9,9 g ; 164 kcal

L'ASTUCE DU CHEF
Vous pouvez assaisonner la Maïzena avec du piment en poudre, des graines de sésame et du mélange sept-épices (shichimi togarashi).

Filets de porc panés

Pour 4 personnes.

PRÉPARATION 15 MINUTES • CUISSON 15 MINUTES

2 escalopes de porc
35 g de farine
2 œufs légèrement battus
2 c. c. d'eau
100 g de chapelure japonaise
300 g de chou, en fines lanières
huile végétale pour la friture
1 citron, coupé en quartiers
3 c. c. de moutarde

Sauce tonkatsu

2 c. s. de sauce Worcestershire
80 ml de sauce tomate
1 c. c. de sauce de soja japonaise
2 c. s. de saké
1 c. c. de moutarde japonaise

1 Applatissez délicatement les escalopes à l'aide d'un maillet à viande. Roulez-les dans la farine ; secouez pour éliminer l'excédent.

2 Mélangez les œufs et l'eau. Imprégnez les escalopes de ce mélange ; enrobez-les de chapelure.

3 Faites tremper le chou dans de l'eau glacée 5 minutes jusqu'à ce qu'il soit croquant ; égouttez-le.

4 Faites chauffer l'huile dans une casserole moyenne ou une friteuse. Faites saisir les escalopes de chaque côté en veillant à ce qu'elles soient bien recouvertes d'huile. Laissez cuire en écumant l'huile en cours de cuisson pour éliminer les résidus.

5 Égouttez le porc sur du papier absorbant ; détaillez-le en tranches épaisses. Disposez le chou sur un plat de service ; garnissez avec les tranches de porc de manière à ce que les morceaux de chou et de porc se chevauchent. Servez avec des quartiers de citron, de la moutarde et de la sauce tonkatsu.

Sauce tonkatsu Mélangez les ingrédients dans une petite casserole. Portez à ébullition ; fouettez. Retirez du feu ; laissez refroidir.

Par portion lipides 17 g ; 448 kcal

LES ASTUCES DU CHEF

• La sauce tonkatsu est tout particulièrement adaptée à ce plat. On la trouve toute prête dans les épiceries asiatiques.

• La chapelure japonaise est à la fois très légère et croustillante. Il en existe deux variétés, plus ou moins épaisses, qui conviennent aussi bien l'une que l'autre.

Potiron doux à la sauce de soja

Pour 4 personnes.

PRÉPARATION 10 MINUTES • CUISSON 15 MINUTES

500 g de potiron, non pelé
375 ml de dashi
1 ¹/₂ c. s. de sucre
2 c. s. de mirin
1 c. s. de sauce de soja japonaise

1 Coupez le potiron en morceaux de 5 cm ; ôtez les graines. Supprimez la peau par endroits afin de donner à la surface une apparence tachetée et permettre à la chair d'absorber l'arôme du bouillon.

2 Mettez le potiron dans une casserole, côté peau. Ajoutez le dashi, le sucre et le mirin. Portez à ébullition. Couvrez et laissez mijoter 5 minutes à feu doux, en retournant les morceaux de potiron au bout de 2 minutes.

3 Ajoutez la sauce de soja ; prolongez la cuisson pendant 8 minutes en retournant les morceaux de potiron à mi-cuisson. Ne laissez pas le potiron cuire trop longtemps. Retirez du feu ; laissez-le refroidir dans le liquide quelques minutes avant de le répartir entre les bols de service. Servez chaud ou froid, arrosé d'un peu de liquide de cuisson.

Par portion lipides 0,5 g ; 78 kcal

L'ASTUCE DU CHEF
Ajoutez du porc ou du haché sauté si vous souhaitez un plat plus consistant.

Salade de wakame, de crevettes et de concombres

Pour 4 personnes.

PRÉPARATION 20 MINUTES • CUISSON 2 MINUTES

1 pépino
¹/₂ c. c. de sel
4 crevettes moyennes cuites
10 g de wakame (algue séchée)
2 cm de gingembre frais, émincé

Vinaigrette
60 ml de vinaigre de riz
1 ¹/₂ c. s. de dashi
1 ¹/₂ c. s. de sauce de soja japonaise
3 c. c. de sucre
1 ¹/₂ c. s. de mirin

1 Coupez le concombre en deux dans le sens de la longueur. À l'aide d'une cuillère, ôtez les graines. Détaillez-le en tranches fines.

2 Mettez le concombre dans un récipient. Saupoudrez-le de sel. Laissez-le reposer 15 minutes. Dans une passoire, rincez-le sous l'eau froide. Égouttez-le ; séchez-le avec du papier absorbant. Décortiquez les crevettes. Coupez-les en deux dans le sens de la longueur. Mettez-les dans un saladier avec 1 cuillerée à soupe de vinaigrette ; laissez reposer 10 minutes. Ajoutez le concombre.

3 Pendant ce temps, déposez les algues dans un bol ; couvrez-les d'eau froide. Laissez reposer 5 minutes jusqu'à ce qu'elles ramollissent. Égouttez-les. Ajoutez-les au concombre et aux crevettes avec le gingembre et le reste de la vinaigrette. Remuez délicatement. Répartissez dans les bols de service.

Vinaigrette Mélangez les ingrédients dans une petite casserole ; portez à ébullition. Faites mijoter à feu doux en remuant jusqu'à ce que le sucre soit dissous. Laissez refroidir.

Par portion lipides 0,2 g ; 40 kcal

LES ASTUCES DU CHEF
• Vous pouvez remplacer les crevettes par de la chair de crabe cuite.
• Le wakame est une algue très nourrissante, de couleur foncée lorsqu'elle est sèche, qui redevient vert vif une fois réhydratée. On détaille généralement les feuilles à partir de la tige centrale.

Le Vietnam

La gastronomie vietnamienne se caractérise par ses arômes frais et relevés. Le piquant du piment et l'âcreté du nuoc-mâm sont compensés par un ample usage de citronnelle, de coriandre, de menthe vietnamienne et de citron vert. C'est une cuisine délicieusement légère qui tire pleinement partie d'une abondance d'herbes et de légumes frais.

Soupe aux nouilles et au poulet

Pour 4 personnes.

PRÉPARATION 25 MINUTES • CUISSON 40 MINUTES

2 blancs de poulet

**30 g de foies de volaille,
en tranches fines**

2 l d'eau

1 c. c. de gingembre frais, râpé

3 gousses d'ail

**2 tiges de citronnelle fraîche
de 12 cm, broyées**

**1 oignon moyen, en tranches
épaisses**

1/4 c. c. de grains de poivre noir

8 champignons shiitake séchés

2 c. s. de nuoc-mâm

50 g de vermicelles de soja

3 oignons nouveaux, émincés

**40 g de coriandre fraîche,
grossièrement hachée**

160 g de germes de soja, parées

1 Détaillez les blancs de poulet en filets. Disposez ces filets entre deux pellicules de film étirable. À l'aide d'un maillet à viande, aplatissez-les délicatement pour qu'ils soient d'une épaisseur égale.

2 Mettez les foies de volaille, le gingembre, l'ail, la citronnelle, l'oignon et les grains de poivre dans un faitout avec l'eau. Portez à ébullition. Ajoutez le poulet. Laissez mijoter à feu doux sans couvrir 5 minutes environ, jusqu'à ce qu'il soit juste tendre. Retirez le poulet du bouillon ; coupez-le en tranches fines. Écumez le bouillon et prolongez la cuisson à feu doux sans couvrir 30 minutes environ jusqu'à ce qu'il soit réduit à 1,5 litre environ. Filtrez-le (jetez le mélange à base de foies de volaille). Remettez le bouillon dans une casserole propre.

3 Pendant ce temps, placez les champignons dans un bol résistant à la chaleur. Couvrez-les d'eau bouillante ; laissez reposer 20 minutes. Égouttez ; réservez 80 ml du liquide environ. Jetez les queues ; détaillez les chapeaux en tranches fines. Versez dans le bouillon le liquide de cuisson des champignons, le nuoc-mâm et les vermicelles ; faites mijoter quelques minutes sans couvrir jusqu'à ce que les vermicelles soient tendres. Ajoutez les champignons, le poulet et les oignons. Juste avant de servir, incorporez la coriandre et les germes de soja.

Par portion lipides 9,1 g ; 242 kcal

Rouleaux de crevettes au gingembre

Pour 4 personnes.

PRÉPARATION 20 MINUTES • MARINADE 3 HEURES • CUISSON 5 MINUTES

1,5 kg de crevettes moyennes, crues

100 g de gingembre frais, râpé

3 gousses d'ail, pilées

2 c. s. de zeste de citron vert, râpé

65 g de sucre de palme, haché fin

80 ml de sauce aux piments douce

80 ml de bouillon de volaille

12 galettes de riz

48 feuilles de pousses d'épinards

125 ml de sauce de soja claire

1 citron vert, en quartiers

1 Décortiquez les crevettes et hachez-les grossièrement. Mélangez les crevettes, le gingembre, l'ail, le zeste de citron et le sucre dans un saladier. Couvrez ; placez au moins 3 heures au réfrigérateur.

2 Faites chauffer une grande poêle graissée. Faites cuire les crevettes, par petites quantités, jusqu'à ce qu'elles changent de couleur ; transvasez-les dans un saladier résistant à la chaleur. Mettez la sauce aux piments et le bouillon dans une casserole ; faites mijoter en remuant jusqu'à ébullition de la sauce qui doit légèrement épaissir. Versez sur les crevettes.

3 Mettez une galette de riz dans un bol rempli d'eau chaude pour la ramollir légèrement ; retirez-la délicatement de l'eau et posez-la sur une planche. Disposez 4 feuilles d'épinards au centre de chaque galette ; garnissez avec 2 cuillerées à soupe bien tassées du mélange à base de crevettes. Repliez en haut et en bas ; roulez la galette de côté pour enfermer la garniture. Répétez l'opération avec les autres galettes et le reste des ingrédients. Présentez avec la sauce de soja et des quartiers de citron vert.

Par rouleau lipides 1,9 g ; 277 kcal

L'ASTUCE DU CHEF

On peut préparer ces rouleaux 3 heures à l'avance en les conservant couverts au réfrigérateur.

Soupe de bœuf aux vermicelles

Pour 6 personnes.

PRÉPARATION 30 MINUTES • CUISSON 30 MINUTES

1,5 kg d'os de bœuf

**2 oignons moyens,
   grossièrement hachés**

**2 carottes moyennes,
   grossièrement hachées**

**4 branches de céleri parées,
   grossièrement coupées**

2 bâtons de cannelle

4 anis étoilés

6 gousses de cardamome, broyées

10 petits grains de poivre noir

2 c. s. de nuoc-mâm

6 clous de girofle

**60 g de gingembre frais,
   en tranches fines**

**6 tiges de ciboulette,
   en tranches fines**

500 g de gîte de bœuf

4 l d'eau

2 c. s. de sauce de soja

200 g de vermicelles de soja

100 g de germes de soja

**40 g de menthe vietnamienne
   fraîche**

4 piments rouges frais, émincés

**1 oignon moyen supplémentaire,
   en tranches fines**

40 g de coriandre fraîche

1 Préchauffez le four. Déposez les os de bœuf, les oignons, les carottes et le céleri dans un grand plat à rôtir. Faites cuire 45 minutes à four chaud. Égouttez pour éliminer le gras.

2 Dans un faitout mélangez les os de bœuf, le gîte de bœuf, la cannelle, l'anis étoilé, la cardamome, les grains de poivre, le nuoc-mâm, les clous de girofle, le gingembre, la ciboulette et l'eau. Portez à ébullition. Laissez mijoter 1 h 30 à feu doux sans couvrir, en écumant la surface de temps en temps. Filtrez à travers une passoire garnie de mousseline au-dessus d'un saladier. Réservez le bouillon et le bœuf ; jetez les os et les épices. Quand le bœuf a suffisamment refroidi, découpez-le en fines lanières. Remettez-le dans le faitout avec la sauce de soja et le bouillon.

3 Juste avant de servir, mettez les vermicelles dans un saladier résistant à la chaleur ; couvrez-les d'eau bouillante. Laissez reposer 3 minutes ; égouttez. Ajoutez-les dans le faitout ; faites réchauffer à feu doux en remuant. Présentez avec des germes de soja, de la menthe vietnamienne, du piment, de l'oignon et de la coriandre.

Par portion lipides 5,3 g ; 239 kcal

LES ASTUCES DU CHEF

• Accompagnez ce plat d'autres légumes verts crus, du chou finement haché par exemple, ou encore de feuilles de basilic ou de menthe.
• On peut remplacer le bœuf par du poulet.

Nouilles frites aux épices

Pour 4 personnes.

PRÉPARATION 15 MINUTES • CUISSON 15 MINUTES

200 g de nouilles de riz fraîches

**500 g de crevettes moyennes,
crues**

2 c. c. d'huile d'arachide

**150 g de filet de porc,
en tranches fines**

4 gousses d'ail, pilées

2 c. c. de gingembre frais, râpé

60 ml de jus de citron vert

60 ml de nuoc-mâm

2 c. c. de sucre

80 g de germes de soja, parés

**45 g de cacahuètes grillées,
grossièrement hachées**

**40 g de coriandre fraîche,
grossièrement hachée**

**4 oignons nouveaux,
grossièrement hachés**

**1 carotte moyenne,
grossièrement râpée**

1 Mettez les nouilles dans un saladier résistant à la chaleur ; couvrez-les d'eau bouillante. Laissez reposer jusqu'à ce qu'elles soient tendres. Égouttez. Décortiquez les crevettes.

2 Faites chauffer l'huile dans un wok ou une grande poêle ; faites revenir la viande et les crevettes.

3 Ajoutez l'ail, le gingembre, le jus de citron vert, le nuoc-mâm et le sucre ; laissez mijoter sans couvrir 2 minutes.

4 Incorporez les nouilles et les autres ingrédients ; faites sauter jusqu'à ce que le tout soit bien chaud.

Par portion lipides 9,5 g ; 337 kcal

Marmite de poulet aux pousses de bok choy

Pour 6 personnes.

PRÉPARATION 15 MINUTES • MARINADE 3 HEURES • CUISSON 1 HEURE

**1 kg de filets de poulet dans
la cuisse, coupés en deux**

2 petits oignons, coupés en quatre

**340 g de pousses de bok choy,
hachées grossièrement**

125 ml de bouillon de volaille

Marinade

4 gousses d'ail, pilées

1 c. s. de nuoc-mâm

1 c. s. de sauce de soja

1 c. s. de sauce hoisin

2 c. s. de jus de citron vert

**2 c. s. de citronnelle fraîche,
hachée menu**

1 Mélangez le poulet et la marinade dans un saladier ; remuez bien. Couvrez ; placez au moins 3 heures au réfrigérateur.

2 Mettez le poulet et les autres ingrédients dans un faitout en terre cuite ou un plat à rôtir. Remuez bien. Faites cuire 1 heure à four moyen.

Marinade Mélangez tous les ingrédients dans un bol ; remuez bien.

Par portion lipides 12,5 g ; 260 kcal

LES ASTUCES DU CHEF

• Cette recette peut être préparée la veille si vous placez le plat couvert au réfrigérateur. Présentez ce ragoût avec des nouilles hokkien.

• Si vous utilisez un plat en terre cuite veillez à le faire tremper toute une nuit dans l'eau froide.

Beignets d'oignons et d'encornets

Pour 6 personnes.

PRÉPARATION 10 MINUTES • MARINADE 3 HEURES • CUISSON 15 MINUTES

1 kg d'encornets
3 c. c. de sel
1 c. s. de sucre
1/2 c. c. de piment moulu
1/4 c. c. de gingembre moulu
1 gousse d'ail, pilée
150 g de farine
2 c. c. de poivre noir moulu
3 oignons blancs moyens, en tranches épaisses
huile végétale pour friture

1 Coupez les encornets d'un côté et ouvrez-les. Entaillez la surface intérieure en croisillons à l'aide d'un couteau pointu sans couper dans toute l'épaisseur. Détaillez les encornets en morceaux de 3 cm x 5 cm.

2 Mélangez les encornets, le sel, le sucre, la poudre de piments, le gingembre et l'ail dans un saladier ; remuez bien. Couvrez ; placez au moins 3 heures au réfrigérateur.

3 Plongez les encornets dans la farine mélangée au poivre. Secouez les morceaux pour éliminer l'excédent de farine. Procédez de même avec les oignons.

4 Faites chauffer l'huile dans un wok ou une grande poêle. Faites frire les encornets, par petites quantités, jusqu'à ce qu'ils soient tendres (environ 1 à 2 minutes). Égouttez-les sur du papier absorbant. Répétez l'opération avec les oignons. Présentez ensemble les encornets et les oignons frits.

Par portion lipides 16,8 g ; 394 kcal

Ailes de poulet farcies

Pour 12 ailes.

PRÉPARATION 40 MINUTES • TREMPAGE 20 MINUTES • CUISSON 30 MINUTES

25 g de vermicelles de soja
1 champignon muerr séché
2 c. c. d'huile d'arachide
1 oignon nouveau, haché menu
2 c. s. de citronnelle fraîche,
hachée menu
4 gousses d'ail, pilées
1 c. s. de nuoc-mâm
100 g de porc haché
1 petite carotte, finement râpée
10 châtaignes d'eau en boîte,
égouttées et hachées menu
2 c. s. de coriandre fraîche, hachée
fin
250 g de crevettes moyennes
crues, décortiquées et hachées
menu
12 ailes de poulet
huile végétale pour la friture

1 Mettez les vermicelles dans un saladier résistant à la chaleur. Couvrez-les d'eau bouillante ; laissez reposer jusqu'à ce qu'ils soient tendres. Égouttez ; coupez-les en tronçons de 2 cm. Mettez le champignon dans un bol résistant à la chaleur. Couvrez-le d'eau bouillante. Laissez reposer 20 minutes ; égouttez. Hachez-le finement après avoir supprimé la queue.

2 Faites chauffer l'huile d'arachide dans un wok ou une grande poêle. Mettez l'oignon, la citronnelle, l'ail, la sauce, le porc, la carotte, les châtaignes, la coriandre et le champignon. Mélangez et faites revenir le tout pendant 3 minutes environ. Ajoutez les crevettes ; prolongez la cuisson à feu vif jusqu'à ce qu'elles changent de couleur. Incorporez les vermicelles ; laissez refroidir.

3 Avec un couteau bien aiguisé, coupé la peau à la base de la première articulation des ailes de poulet (la plus charnue) et prélevez délicatement la viande en gardant la peau intacte. Réservez la viande pour un autre usage.

4 Tordez l'aile de manière à briser les ligaments entre la première et la deuxième articulation, puis tirez l'os de la première articulation et jetez-le en prenant soin de ne pas déchirer la peau.

5 Farcissez les ailes de poulet ainsi préparées avec le mélange à base de viande, sans trop la remplir, et enfermez la garniture à l'aide d'un cure-dents.

6 Faites chauffer l'huile végétale dans le wok ou la poêle. Mettez les ailes à frire, par petites quantités. Lorsqu'elles sont dorées et cuites à point égouttez-les sur du papier absorbant. Servez avec des germes de pois mange-tout.

Par aile lipides 22,4 g ; 290 kcal

Rouleaux de printemps au poulet

Pour 16 rouleaux.

PRÉPARATION 20 MINUTES • RÉFRIGÉRATION 30 MINUTES • CUISSON 10 MINUTES

80 g de vermicelles de soja

1 c. s. d'huile d'arachide

600 g de blancs de poulet, en filets

80 ml d'huile d'arachide, supplémentaires

1 c. s. d'huile de sésame

80 ml de mirin

2 c. s. de citronnelle fraîche, émincée

2 c. c. de nuoc-mâm

2 c. c. de ketjap manis

1 c. s. de gingembre frais, râpé

2 gousses d'ail, pilées

40 g de menthe fraîche, en lanières

1 petit oignon rouge, en tranches fines

70 g de noix de cajou, grillées et hachées menu

80 g de germes de soja, parés

2 c. s. de zeste de citron vert râpé

4 piments rouges frais, épépinés et hachés menu

16 galettes de riz rondes

16 feuilles de menthe fraîche

125 ml de mirin, supplémentaires

60 ml de ketjap manis, supplémentaires

80 ml de jus de citron vert

1 Mettez les vermicelles dans un saladier résistant à la chaleur. Couvrez-les d'eau bouillante ; laissez reposer jusqu'à ce qu'ils soient tendres. Égouttez ; coupez-les en tronçons de 4 cm.

2 Faites chauffer l'huile d'arachide dans une grande poêle ; mettez le poulet à revenir de chaque côté. Lorsqu'il est bien doré, coupez-le en tranches fines.

3 Mélangez l'huile d'arachide supplémentaire, l'huile de sésame, la citronnelle, le nuoc-mâm, le ketjap manis, le gingembre, l'ail et la menthe dans un saladier ; incorporez les vermicelles, le poulet, l'oignon, les noix de cajou, les germes de soja, le zeste de citron et le piment. Couvrez ; placez 30 minutes au réfrigérateur.

4 Plongez une galette de riz dans un bol rempli d'eau chaude jusqu'à ce qu'elle ramollisse ; retirez-la délicatement de l'eau et posez-la sur une planche. Placez une feuille de menthe au centre de la galette ; déposez 1 cuillerée bien tassée de garniture. Roulez pour l'enfermer en repliant les extrémités. Répétez l'opération avec les autres galettes et le reste des ingrédients.

5 Mélangez le mirin et le ketjap manis supplémentaires avec le jus de citron vert dans un bol. Servez en accompagnement pour tremper les rouleaux.

Par rouleau lipides 12,1 g ; 196 kcal

L'ASTUCE DU CHEF

Vous pouvez préparer ces rouleaux de printemps jusqu'à 3 heures à l'avance. Enveloppez-les dans un film alimentaire et mettez-les au réfrigérateur. Sortez-les environ 30 minutes avant de passer à table.

Canard laqué à la vietnamienne

Pour 4 personnes.

PRÉPARATION 15 MINUTES • MARINADE 3 HEURES • CUISSON 2 HEURES

1 canard de 1,7 kg
1 c. s. d'huile d'arachide
2 gousses d'ail, pilées
1 c. s. de gingembre frais râpé
2 c. s. de sauce aux piments douce
1/4 c. c. de poudre cinq-épices

Sauce au gingembre

750 ml de bouillon de volaille
1 grosse orange, pelée
50 g de gingembre frais, en tranches fines
2 c. s. de sucre roux
2 oignons nouveaux, émincés
2 c. c. de Maïzena
60 ml d'eau

1 Mettez le canard dans un plat à rôtir. Faites-le cuire 1 heure à four moyen. Coupez-le en deux dans le sens de la longueur. Retirez la carcasse.

2 Mélangez l'huile, l'ail, le gingembre, la sauce aux piments et la poudre cinq-épices dans un bol. Déposez le canard dans un plat peu profond ; badigeonnez-le avec le mélange à base de piments. Couvrez ; placez au moins 3 heures au réfrigérateur.

3 Posez le canard à l'endroit sur une grille métallique, au-dessus d'un plat à rôtir. Faites-le cuire 45 minutes à four moyen, jusqu'à ce que la peau soit croustillante. Versez la sauce au gingembre dessus. Servez avec des germes de soja, des pousses d'épinards, des oignons et de la coriandre.

Sauce au gingembre Mettez le bouillon, l'orange entière et le gingembre dans une casserole ; laissez mijoter sans couvrir 30 minutes environ, jusqu'à ce que la sauce soit réduite à 375 ml environ. Passez-la. Remettez la sauce tamisée dans la casserole. Ajoutez le sucre, les oignons et la Maïzena délayée avec l'eau. Faites cuire à feu vif jusqu'à ébullition du mélange qui doit légèrement épaissir.

Par portion lipides 95 g ; 1032 kcal

Porc aux nouilles croustillantes

Pour 4 personnes.

PRÉPARATION 30 MINUTES • MARINADE 3 HEURES • CUISSON 25 MINUTES

500 g de filet de porc
3 oignons nouveaux, émincés
3 gousses d'ail, pilées
2 c. c. de sucre
2 c. s. de nuoc-mâm
60 ml de jus de citron vert
¼ c. c. de poivre noir concassé
2 c. c. de gingembre frais râpé
40 g de coriandre fraîche, ciselée
2 piments rouges frais, émincés
huile végétale pour la friture
100 g de nouilles de riz fraîches
3 oignons moyens,
**   en tranches fines**
125 ml d'eau

1 Mélangez le porc, les oignons nouveaux, l'ail, le sucre, le nuoc-mâm, le jus de citron vert, le poivre, le gingembre, la coriandre et les piments dans un saladier. Couvrez ; placez au moins 3 heures au réfrigérateur.

2 Retirez le porc de la marinade ; réservez celle-ci. Faites cuire la viande sur un gril préchauffé (ou au barbecue). Lorsqu'elle est bien dorée et cuite à point, enveloppez-la dans du papier d'aluminium.

3 Faites chauffer l'huile dans un wok ou une grande poêle. Mettez les nouilles à frire par petites quantités jusqu'à ce qu'elles gonflent. Égouttez-les sur du papier absorbant.

4 Faites frire les oignons par petites quantités dans l'huile chaude. Lorsqu'ils sont bien dorés, égouttez-les sur du papier absorbant.

5 Mettez la marinade réservée et l'eau dans une casserole ; laissez mijoter sans couvrir 5 minutes environ jusqu'à ce que la sauce soit réduite à 125 ml. Coupez le porc en tranches fines. Mélangez délicatement les nouilles et l'oignon dans un saladier ; arrosez de marinade.

Par portion lipides 11,5 g ; 339 kcal

Légumes sautés au tofu

Pour 6 personnes.

PRÉPARATION 15 MINUTES • TREMPAGE 20 MINUTES • CUISSON 10 MINUTES

**190 g de tofu frit, coupé
en tranches de 1 cm**

80 ml de sauce de soja

**2 c. s. de coriandre fraîche,
grossièrement hachée**

1 c. c. de miel

6 champignons shiitake séchés

1 c. s. d'huile d'arachide

3 gousses d'ail, pilées

1 1/2 c. c. de gingembre frais, râpé

**1 c. s. de citronnelle fraîche,
hachée menu**

**2 carottes moyennes, coupées
en bâtonnets de 6 cm**

**200 g de haricots verts, coupés
en tronçons de 6 cm**

**500 g de chou-fleur, en petits
bouquets**

**230 g de pousses de bambou,
en boîte, rincées et égouttées**

**600 g de chou chinois, haché
grossièrement**

180 ml de bouillon de légumes

1 c. s. de Maïzena

2 c. c. de sauce hoisin

1 c. c. de jus de citron vert

1/2 c. c. de sambal oelek

1 Mélangez le tofu, la sauce de soja, la coriandre et le miel dans un saladier.

2 Mettez les champignons dans un bol résistant à la chaleur ; couvrez-les d'eau bouillante. Laissez reposer 20 minutes ; égouttez. Jetez les tiges ; détaillez les chapeaux en tranches.

3 Faites chauffer l'huile dans un wok ou une grande poêle. Mettez à revenir l'ail, le gingembre et la citronnelle jusqu'à ce que le mélange embaume. Ajoutez les carottes, les haricots et le chou-fleur ; faites sauter les légumes qui devront rester tendres.

4 Ajoutez le tofu mariné ainsi que les pousses de bambou, les champignons et le chou. Prolongez la cuisson à feu vif jusqu'à ce que l'ensemble soit bien chaud. Délayez la Maïzena avec le bouillon et incorporez-le au contenu du wok avec la sauce hoisin, le jus de citron vert et le sambal oelek.

Par portion lipides 7,2 g ; 152 kcal

Porc et crevettes à la noix de coco

Pour 4 personnes.

PRÉPARATION 20 MINUTES • CUISSON 1 H 10

1 ¹/₂ c. s. d'huile d'arachide
2 c. c. de gingembre frais, râpé
2 gousses d'ail, pilées
¹/₂ c. c. de curcuma moulu
1 piment rouge, émincé
2 c. s. de citronnelle fraîche, émincée
1 oignon moyen, en tranches fines
500 g de porc, coupé en dés
410 ml de crème de coco
1 c. s. de nuoc-mâm
1 c. c. de zeste de citron vert râpé
230 g de pousses de bambou en boîte, égouttées
75 g de cacahuètes grillées, grossièrement hachées
500 g de crevettes moyennes crues, décortiquées
30 g de basilic frais, haché
30 g de menthe fraîche, hachée

1 Faites chauffer 1 cuillerée à soupe d'huile dans un wok ou une grande poêle. Mettez à revenir le gingembre, l'ail, le curcuma, le piment, la citronnelle et l'oignon ; mélangez bien jusqu'à ce que l'oignon blondisse. Réservez.

2 Faites chauffer le reste de l'huile dans le wok. Faites saisir et dorer les dés de porc.

3 Remettez le mélange à base d'oignon dans le wok avec la crème de coco, le nuoc-mâm, le zeste de citron, les pousses de bambou et les cacahuètes. Mélangez.

4 Couvrez le wok ; laissez mijoter 1 heure. Incorporez les crevettes et les herbes. Prolongez la cuisson sans couvrir quelques minutes jusqu'à ce que les crevettes changent de couleur.

Par portion lipides 39,8 g ; 582 kcal

Salade de poulet à la menthe

Pour 4 personnes.

PRÉPARATION 45 MINUTES • CUISSON 15 MINUTES

500 g de blancs de poulet

60 ml d'huile d'arachide

60 ml de vinaigre de riz

2 c. c. de nuoc-mâm

1 c. c. de zeste de citron vert, râpé

60 ml de jus de citron vert

**2 piments rouges frais,
  épépinés et émincés**

2 gousses d'ail, pilées

2 c. s. de sucre roux

**40 g de menthe vietnamienne
  fraîche, en lanières**

**40 g de coriandre fraîche,
  en lanières**

**500 g de chou chinois,
  en fines lanières**

**2 carottes moyennes,
  grossièrement râpées**

**6 oignons nouveaux,
  en tranches fines**

**35 g de cacahuètes grillées,
  grossièrement hachées**

1 Faites pocher le poulet dans une poêle contenant 1 litre d'eau bouillante. Baissez le feu dès que l'eau recommence à bouillir ; laissez mijoter à feu doux, sans couvrir, 15 minutes environ.

2 Égouttez le poulet dans une passoire ; laissez refroidir. Coupez-le en tranches fines.

3 Mélangez l'huile, le vinaigre, le nuoc-mâm, le zeste et le jus de citron vert, les piments, l'ail et le sucre dans un saladier. Remuez jusqu'à ce que le sucre soit dissous. Ajoutez la menthe et les deux tiers de la coriandre.

4 Incorporez le poulet, le chou et les carottes. Remuez délicatement. Répartissez la salade dans les bols de service ; garnissez du reste de coriandre, d'oignons et de cacahuètes.

Par portion lipides 23,3 g ; 470 kcal

Poulet à la citronnelle

Pour 4 personnes.

PRÉPARATION 20 MINUTES • MARINADE 3 HEURES • CUISSON 20 MINUTES

700 g de blancs de poulet

30 g de citronnelle fraîche, émincées

1 c. s. de gingembre frais, râpé

4 feuilles de citronnier kaffir, en lanières

4 mini-aubergines

gros sel

60 ml d'huile d'arachide

1 oignon blanc moyen, émincé

2 c. c. de cumin moulu

500 g d'asperges, coupées en tronçons de 5 cm

1 c. s. de zeste de citron, râpé

1 c. c. de jus de citron

1 Mélangez le poulet, la citronnelle, le gingembre et les feuilles de citronnier dans un saladier. Couvrez ; placez au moins 3 heures au réfrigérateur.

2 Coupez les aubergines en deux dans le sens de la longueur ; détaillez chaque moitié en morceaux de 2 cm. Mettez-les dans une passoire. Saupoudrez-les de sel ; laissez reposer 30 minutes. Rincez les morceaux sous l'eau froide. Séchez-les en les tapotant avec du papier absorbant.

3 Faites chauffer 1 cuillerée à soupe d'huile dans un wok ou une grande poêle ; mettez à revenir le poulet et l'oignon, par petites quantités. Lorsqu'ils sont bien dorés, réservez.

4 Faites chauffer le restant d'huile dans le wok. Faites sauter les morceaux d'aubergine avec le cumin jusqu'à ce qu'ils soient légèrement fondants.

5 Remettez le poulet dans le wok. Ajoutez les asperges, le zeste et le jus de citron. Prolongez la cuisson en remuant pour bien réchauffer le tout. Servez aussitôt.

Par portion lipides 23,7 g ; 399 kcal

Poisson à la sauce piquante

Pour 4 personnes.

PRÉPARATION 15 MINUTES • CUISSON 15 MINUTES

150 g de farine
50 g de Maïzena
1 c. c. de sucre
1/4 c. c. de curcuma moulu
2 oignons nouveaux, émincés
2 blancs d'œufs
180 ml d'eau
huile végétale pour la friture
12 petits filets de poisson à chair blanche, sans arêtes

Sauce piquante
2 c. s. de sauce de soja
160 ml de sauce aux piments doux
2 c. s. de vinaigre de malt
1 c. s. de sucre roux
125 ml de bouillon de volaille
2 c. s. de coriandre fraîche, ciselée
2 c. c. de Maïzena
60 ml d'eau

1 Mettez la farine, la Maïzena, le sucre et le curcuma dans un saladier ; incorporez les oignons et les blancs d'œufs mélangés à l'eau. Mixez à vitesse modérée jusqu'à obtention d'une pâte lisse.

2 Faites chauffer l'huile dans un wok ou une grande poêle. Plongez les filets de poisson l'un après l'autre dans la pâte pour bien les enrober ; égouttez pour éliminer l'excédent. Faites frire les filets par petites quantités. Lorsqu'ils sont bien dorés et cuits, égouttez sur du papier absorbant. Servez avec la sauce piquante.

Sauce piquante Mélangez les sauces, le vinaigre, le sucre, le bouillon de volaille et la coriandre dans une petite casserole. Incorporez la Maïzena préalablement délayée avec l'eau ; faites cuire à feu vif jusqu'à ébullition de la sauce qui doit légèrement épaissir.

Par portion lipides 24 g ; 640 kcal

Bœuf à la citronnelle

Pour 4 personnes.

PRÉPARATION 15 MINUTES • MARINADE 3 HEURES • CUISSON 15 MINUTES

500 g de filet de bœuf,
  en tranches fines
3 gousses d'ail, pilées
2 c. s. de citronnelle fraîche,
  hachée menu
1 c. c. de sucre
1 c. c. de sel
2 c. s. d'huile d'arachide
1 gros oignon blanc
2 tomates moyennes
250 g d'asperges vertes,
  coupées en deux
1 c. c. de gingembre frais râpé
2 c. c. de coriandre fraîche
2 c. s. de cacahuètes grillées,
  grossièrement hachées

1 Mélangez le bœuf, l'ail, la citronnelle, le sucre, le sel et la moitié de l'huile dans un saladier. Couvrez ; conservez au moins 3 heures au réfrigérateur.

2 Coupez l'oignon et les tomates en quartiers. Faites cuire les asperges à l'eau ou à la vapeur. Rincez-les sous l'eau froide. Faites chauffer le reste de l'huile dans un wok ou une grande poêle. Mettez l'oignon à revenir jusqu'à ce qu'il blondisse. Réservez. Faites sauter le bœuf par petites quantités, jusqu'à ce qu'il soit doré.

3 Incorporez l'oignon, les tomates et les asperges. Prolongez la cuisson quelques instants pour bien réchauffer le tout. Présentez garni de coriandre et de cacahuètes.

Par portion lipides 17,9 g ; 312 kcal

Encornets sautés au chou

Pour 4 personnes.

PRÉPARATION 25 MINUTES • MARINADE 1 HEURE • CUISSON 20 MINUTES

600 g d'encornets
4 gousses d'ail, pilées
2 c. s. de jus de citron vert
1 c. s. de nuoc-mâm
1 c. s. de sauce aux huîtres
1 c. s. de sauce de soja
2 c. s. d'huile d'arachide
2 grosses tomates
1 oignon moyen, coupé en quatre
1 poivron rouge moyen,
en tranches épaisses
4 oignons nouveaux, émincés
350 g de chou chinois mariné,
rincé, égoutté et coupé
en tranches épaisses
2 piments rouges frais, épépinés
et coupés en tranches fines

1 Coupez les encornets sur un côté et ouvrez-les. Entaillez la surface intérieure en croisillons à l'aide d'un couteau pointu sans couper toute l'épaisseur. Détaillez-les en morceaux de 4 cm.

2 Mélangez l'ail, le jus de citron vert, les sauces et l'encornet dans un saladier. Couvrez ; placez au moins 1 heure au réfrigérateur.

3 Égouttez les encornets. Réservez la marinade.

4 Faites chauffer la moitié de l'huile dans un wok ou une grande poêle. Faites sauter les encornets à feu vif par petites quantités, jusqu'à ce qu'ils soient juste tendres. Réservez-les. Coupez les tomates en quartiers. Faites chauffer le reste de l'huile dans le wok ; faites revenir les tomates, les oignons et le poivron à feu moyen. Ajoutez les encornets. Incorporez la marinade réservée, le chou et le piment ; prolongez la cuisson à feu vif jusqu'à ébullition du mélange.

Par portion lipides 11,8 g ; 320 kcal

Salade de bœuf
aux vermicelles de riz

Pour 4 personnes.

PRÉPARATION 10 MINUTES • CUISSON 10 MINUTES

400 g de rumsteck
100 g de vermicelles de riz
150 g de pois mange-tout
1 concombre
1 c. s. de coriandre fraîche

Vinaigrette au citron vert et au piment
60 ml de jus de citron vert
2 c. s. d'huile d'arachide
1 piment rouge frais, épépiné et coupé en tranches fines

1 Faites cuire le bœuf sur un gril préchauffé (ou au barbecue). Lorsqu'il est saisi des deux côtés et cuit à votre convenance, couvrez-le. Laissez-le reposer 5 minutes. Coupez-le en tranches fines.

2 Pendant ce temps, plongez les vermicelles dans une grande casserole d'eau bouillante, sans couvrir, 2 minutes environ, jusqu'à ce qu'ils soient juste tendres. Rincez-les sous l'eau froide. Égouttez-les.

3 Coupez les pois mange-tout en deux en diagonale. Coupez le concombre en deux dans le sens de la longueur. Retirez les graines à la cuillère ; tranchez-le en diagonale.

4 Mélangez délicatement le bœuf, les nouilles, les pois mange-tout et le concombre dans un grand saladier avec la vinaigrette ; saupoudrez de coriandre.

Vinaigrette au citron vert et au piment Mélangez tous les ingrédients dans un bocal muni d'un couvercle ; secouez bien.

Par portion lipides 16,6 g ; 318 kcal

Bœuf sauté aux nouilles

Pour 4 personnes.

PRÉPARATION 10 MINUTES • MARINADE 3 HEURES • CUISSON 15 MINUTES

750 g de rumsteck,
   en tranches fines
60 ml de nuoc-mâm
80 ml de sauce aux huîtres
80 ml de sauce aux piments douce
3 gousses d'ail, pilées
500 g de nouilles hokkien
2 c. s. d'huile d'arachide
2 gros oignons, en tranches fines
200 g de pois mange-tout
80 g de germes de soja, parés

1 Mettez la viande dans un grand saladier avec la moitié des sauces mélangées et l'ail. Couvrez et placez au moins 3 heures au réfrigérateur.

2 Rincez les nouilles sous l'eau chaude ; égouttez-les. Transvasez-les dans un grand saladier ; séparez-les à la fourchette.

3 Faites chauffer la moitié de l'huile dans un wok chauffé ou une grande poêle. Faites revenir le bœuf, par petites quantités, jusqu'à ce qu'il soit doré des deux côtés et presque cuit. Retirez-le du wok.

4 Faites chauffer le reste de l'huile dans le wok ; faites revenir l'oignon jusqu'à ce qu'il blondisse. Ajoutez les pois mange-tout et les germes de soja. Prolongez la cuisson pendant 1 minute. Remettez le bœuf et les nouilles avec le reste des sauces mélangées et l'ail. Continuez à faire cuire jusqu'à ce que tous les ingrédients soient chauds.

Par portion lipides 20,2 ; 754 kcal

Porc au caramel

Pour 4 personnes.

PRÉPARATION 10 MINUTES • CUISSON 35 MINUTES

1 gros oignon blanc
1 c. s. d'huile d'arachide
**750 g de cou de porc, coupé
   en morceaux de 3 cm**
250 ml d'eau
75 g de sucre
1 c. s. de nuoc-mâm
1/2 c. c. de sambal oelek
1/4 c. c. de poudre cinq-épices
1 oignon nouveau, émincé

1 Coupez l'oignon en quartiers. Faites chauffer l'huile dans une grande poêle et faites saisir le porc en remuant ; lorsqu'il est bien doré, ajoutez l'oignon ; faites-le blondir. Couvrez et réservez.

2 Mélangez 60 ml d'eau avec le sucre dans une petite casserole ; faites chauffer doucement pour dissoudre le sucre. Faites bouillir, sans couvrir, jusqu'à ce que le sirop prenne une couleur caramel. Ajoutez le reste de l'eau et le nuoc-mâm. Faites chauffer à feu doux jusqu'à ce que la sauce soit bien lisse et laissez mijoter sans couvrir jusqu'à réduction à 125 ml environ.

3 Ajoutez la sauce au porc avec le sambal oelek et les épices ; laissez mijoter sans couvrir 5 minutes pour réchauffer le tout. Garnissez d'oignon émincé. Servez avec du riz à la vapeur.

Par portion lipides 11,8 g ; 365 kcal

Vermicelles sautés aux œufs et aux légumes

Pour 6 personnes.

PRÉPARATION 20 MINUTES • CUISSON 10 MINUTES

2 œufs légèrement battus

1 c. c. d'eau

2 c. c. d'huile d'arachide

50 g de vermicelles de soja

5 champignons shiitake séchés

1 carotte moyenne

**150 g de pois mange-tout,
en tranches fines**

**60 g de pousses de bambou
égouttées, en tranches fines**

**1 pépino, épluché, épépiné,
en tranches fines**

**1 poivron rouge moyen,
en tranches fines**

**1 poivron vert moyen, en tranches
fines**

1 petit oignon, en tranches fines

**230 g de châtaignes d'eau en boîte,
égouttées, en tranches fines**

30 g de coriandre fraîche, ciselée

**2 c. s. de graines de sésame blanc,
grillées**

Vinaigrette

3 gousses d'ail, pilées

2 c. c. de sucre

60 ml de jus de citron vert

1 c. s. d'huile de sésame

2 c. c. de nuoc-mâm

1 c. s. de sauce de soja

2 c. s. de vinaigre de riz

1 c. s. de sauce hoisin

1 Mélangez les œufs et l'eau dans un bol. Faites chauffer la moitié de l'huile dans une poêle ; versez la moitié du mélange. Inclinez la poêle de manière à couvrir la base ; faites cuire l'omelette jusqu'à ce qu'elle soit ferme. Retirez-la de la poêle. Répétez l'opération avec le reste de l'huile et des œufs. Roulez les omelettes ; coupez-les en tranches épaisses.

2 Mettez les vermicelles dans un saladier résistant à la chaleur ; couvrez-les d'eau bouillante. Laissez reposer jusqu'à ce qu'ils soient tendres. Égouttez-les. Mettez les champignons dans un bol résistant à la chaleur. Couvrez-les d'eau bouillante. Laissez reposer 20 minutes ; égouttez. Jetez les tiges ; coupez les chapeaux en tranches fines.

3 À l'aide d'un économe, découpez la carotte en fines lanières.

4 Mélangez la carotte avec les autres légumes, les vermicelles, les champignons, les châtaignes d'eau et la coriandre dans un saladier. Ajoutez la vinaigrette ; remuez bien. Garnissez avec l'omelette et les graines de sésame.

Vinaigrette Mélangez tous les ingrédients dans un bocal à couvercle ; secouez énergiquement.

Nectar
de mangue
à la noix de coco

Pour 4 verres.

PRÉPARATION 10 MINUTES

125 ml d'eau
250 ml de pulpe de mangue
410 ml de crème de coco
2 c. c. de sucre
2 c. s. de jus de citron vert
12 glaçons
2 c. s. de noix de coco rapée, grillée

Mixez l'eau, la mangue, la crème de coco, le sucre, le jus de citron et les glaçons jusqu'à obtention d'un mélange homogène. Versez dans des verres ; saupoudrez de noix de coco grillée.

Par verre lipides 22,8 g ; 269 kcal

L'ASTUCE DU CHEF
Vous aurez besoin de 3 petites mangues pour cette recette.

Cocktail
aux litchis

Pour 4 verres.

PRÉPARATION 5 MINUTES

500 ml de jus d'orange
sirop de grenadine
500 g de litchis frais
1 1/2 c. c. de sucre
80 ml de gin
12 glaçons
1 c. s. de jus de citron vert

1 Répartissez le jus d'orange dans quatre grands verres. Ajoutez quelques gouttes de grenadine ; mélangez pour obtenir un effet marbré.

2 Mixez les litchis et les autres ingrédients jusqu'à obtention d'un mélange homogène. Versez ce mélange délicatement dans les verres contenant le jus d'orange.

Par verre lipides 0,5 g ; 193 kcal

Lassi aux fruits

Pour 1,25 litre.

PRÉPARATION 15 MINUTES

¹/₂ petite papaye
1 grosse orange
2 kiwis moyens
¹/₂ petit ananas
75 g de myrtilles
150 g de framboises
60 ml de pulpe de fruits
  de la passion
125 ml de yaourt

Pelez la papaye, l'orange, les kiwis et l'ananas ; coupez-les grossièrement. Mixez-les avec le reste des ingrédients, par petites quantités, jusqu'à obtention d'un mélange homogène.

Par verre lipides 0,8 g ; 63 kcal

L'ASTUCE DU CHEF
  Vous aurez besoin d'environ 4 fruits de la passion pour cette recette.

Boisson douce à la pêche

Pour 6 verres.

PRÉPARATION 10 MINUTES

825 g de pêches en boîte
125 ml de yaourt
1 c. s. de miel
12 glaçons
500 ml de lait

Mixez tous les ingrédients jusqu'à obtention d'un mélange homogène.

Par verre lipides 3,9 g ; 157 kcal

boissons

La Thaïlande

Les saveurs de la cuisine thaïlandaise sont pleines de contrastes
et de nuances, offrant des plats délicatement parfumés ou
au contraire très relevés. Les pâtes de curry rouge et vert, très
épicées, le nuoc-mâm aigre et une abondance de coriandre
fraîche, de citronnelle et de basilic s'associent aux fruits de mer,
au poulet, à la viande, aux légumes et aux nouilles pour
composer une gastronomie légère et pleine de fraîcheur.

Soupe de poulet au lait de coco

Pour 6 personnes.

PRÉPARATION 20 MINUTES • CUISSON 30 MINUTES

2 c. c. d'huile d'arachide

1 c. s. de citronnelle fraîche, finement hachée

1 c. s. de galangal frais, râpé

2 c. c. de gingembre frais, râpé

1 gousse d'ail, pilée

3 piments rouges frais, épépinés et hachés menu

4 feuilles de citronnier kaffir, ciselées

1/4 c. c. de curcuma moulu

660 ml de lait de coco

1 l de bouillon de volaille

500 ml d'eau

1 c. s. de nuoc-mâm

500 g de filets de poulet, dans la cuisse, en tranches fines

3 oignons nouveaux, émincés

2 c. s. de jus de citron

1 c. s. de coriandre fraîche, grossièrement hachée

1 Faites chauffer l'huile dans une grande casserole et faites cuire la citronnelle, le galangal, le gingembre, l'ail, le piment, les feuilles de citronnier et le curcuma 2 minutes environ en remuant, jusqu'à ce que le mélange embaume.

2 Incorporez le lait de coco, le bouillon, l'eau et la sauce ; portez à ébullition. Ajoutez le poulet et laissez mijoter 20 minutes à feu doux, jusqu'à ce que le liquide ait légèrement réduit.

3 Au moment de servir, ajoutez les oignons émincés, le jus de citron et la coriandre.

Par portion lipides 30,8 g ; 396 kcal

L'ASTUCE DU CHEF

Dégraissez le poulet avant de le faire cuire et jetez la peau. Vous pouvez réaliser cette recette avec des blancs de poulet, mais leur chair est moins délicate.

Soupe aigre-douce aux crevettes

Pour 4 personnes.

PRÉPARATION 20 MINUTES • CUISSON 2 HEURES

1 kg d'arêtes de poisson

3 l d'eau froide

1 c. s. d'huile d'arachide

2 oignons moyens, émincés

**2 branches de céleri parées,
hachées menu**

**2 tiges de citronnelle fraîches,
hachées menu**

**5 feuilles de citronnier kaffir,
grossièrement hachées**

4 piments rouges frais, émincés

2 c. s. de gingembre frais, râpé

1 c. s. de galangal frais, râpé

2 c. c. de nuoc-mâm

24 grosses crevettes crues

**80 g de germes de haricots mung,
parés**

2 oignons nouveaux, émincés

50 g de coriandre fraîche

**30 g de menthe vietnamienne
fraîche**

1 Mélangez les arêtes et l'eau dans une grande casserole ; couvrez. Portez à ébullition. Laissez ensuite mijoter 20 minutes sans couvrir à feu doux. Filtrez le fumet de poisson au-dessus d'un saladier ; jetez les arêtes.

2 Faites chauffer l'huile dans une grande casserole ; mettez les oignons à blondir. Ajoutez le céleri, la citronnelle, les feuilles de citronnier, le piment, le gingembre, le galangal et le nuoc-mâm. Faites revenir 5 minutes environ en remuant jusqu'à ce que le mélange embaume. Ajoutez le fumet de poisson ; portez à ébullition. Couvrez et laissez mijoter 1 h 30 à feu doux.

3 Passez le mélange à travers une passoire tapissée de mousseline au-dessus d'un saladier. Jetez les ingrédients solides.

4 Pendant ce temps, décortiquez les crevettes en laissant les queues intactes.

5 Remettez le bouillon de poisson dans une casserole propre. Couvrez ; portez à ébullition. Laissez mijoter 20 minutes sans couvrir à feu doux. Ajoutez les crevettes ; prolongez la cuisson, sans couvrir 5 minutes environ, jusqu'à ce que les crevettes changent de couleur.

6 Juste avant de servir, ajoutez les germes de soja, les oignons, la coriandre et la menthe.

Par portion lipides 7 g ; 243 kcal

Agneau au curry vert

Pour 4 personnes.

PRÉPARATION 10 MINUTES • CUISSON 1 H 45

1 c. s. d'huile végétale
1 kg d'agneau, coupé en dés
1 gros oignon, en tranches fines
80 g de pâte de curry verte
750 ml de bouillon de volaille
2 feuilles de laurier
410 ml de crème de coco
1 gros poivron vert, en tranches fines
100 g de pois mange-tout, parés
425 g de petits épis de maïs, en boîte, égouttés
2 c. s. de coriandre fraîche, ciselée
40 g de germes de soja

1 Faites chauffer l'huile dans un grand faitout. Faites revenir l'agneau par petites quantités. Lorsqu'il est bien doré, réservez. Faites blondir l'oignon avec la pâte de curry dans le même récipient en remuant. Remettez l'agneau dans le faitout. Ajoutez le bouillon et les feuilles de laurier. Portez à ébullition. Laissez mijoter 1 h 30 à feu doux, jusqu'à ce que l'agneau soit tendre.

2 Ajoutez la crème de coco, le poivron, les pois mange-tout, le maïs et la coriandre. Remuez pour réchauffer le tout. Servez garni de germes de soja.

Par portion lipides 50,6 g ; 795 kcal

Larb de poulet

Pour 4 personnes.

PRÉPARATION 20 MINUTES • CUISSON 15 MINUTES

2 c. s. d'huile d'arachide

1 c. s. de citronnelle fraîche, émincée

2 piments rouges frais, épépinés et émincés

1 gousse d'ail, pilée

1 c. s. de gingembre frais râpé

750 g de poulet haché

4 feuilles de citronnier kaffir

1 c. s. de nuoc-mâm

80 ml de jus de citron vert

1 oignon blanc moyen, émincé

60 g de coriandre fraîche

100 g de germes de soja, parés

30 g de basilic thaï frais

30 g de menthe vietnamienne fraîche

100 g de cresson

1 pépino, en tranches fines

1 c. s. de menthe vietnamienne fraîche supplémentaire, ciselée

1 Faites chauffer la moitié de l'huile dans un faitout ; faites revenir la citronnelle, le piment, l'ail et le gingembre en remuant jusqu'à ce que le mélange embaume. Ajoutez le poulet ; prolongez la cuisson 10 minutes environ en continuant à remuer.

2 Incorporez les feuilles de citronnier en lanières, la moitié du nuoc-mâm et du jus de citron vert ; faites revenir 5 minutes en remuant.

3 Mélangez l'oignon, la coriandre, les germes de soja, le basilic, la menthe, le cresson et le concombre dans un saladier. Arrosez du reste de l'huile, du nuoc-mâm et du jus de citron. Mélangez délicatement la salade.

4 Dressez la salade sur un plat de service ; garnissez avec le poulet. Saupoudrez de menthe ciselée.

Par portion lipides 17,1 g ; 345 kcal

L'ASTUCE DU CHEF

Incorporez le poulet haché dans le faitout en plusieurs fois, en remuant bien entre chaque ajout pour éviter qu'il ne forme des boulettes. Vous pouvez remplacer le poulet par du bœuf ou du porc.

Salade de bœuf aux piments

Pour 4 personnes.

PRÉPARATION 20 MINUTES • CUISSON 10 MINUTES

500 g de filet de bœuf

**2 tomates moyennes, épépinées,
en tranches fines**

2 pépinos, en tranches fines

4 échalotes, en tranches fines

30 g de basilic thaï frais

30 g de menthe verte fraîche

30 g de coriandre fraîche

Vinaigrette aux piments

1 piment rouge frais, émincé

1 gousse d'ail, pilée

2 c. s. de sucre de palme

1 c. s. de nuoc-mâm

1 c. s. de sauce de soja

60 ml de jus de citron vert

1 Faites saisir le bœuf sur un gril préchauffé (ou au barbecue) à feu vif jusqu'à ce qu'il soit doré de toutes parts. Il doit rester saignant. Laissez-le reposer, à couvert, 10 minutes. Découpez-le en tranches fines.

2 Juste avant de servir, mettez le bœuf dans un saladier avec les tomates, les concombres, l'échalote, le basilic, la menthe et la coriandre. Ajoutez la vinaigrette. Remuez pour bien mélanger les ingrédients.

Vinaigrette aux piments Mélangez les ingrédients dans un petit bol.

Par portion lipides 7,7 g ; 239 kcal

L'ASTUCE DU CHEF

Le basilic thaï, également connu sous le nom de krapow, est plus relevé que celui qui pousse sous nos climats. Si vous n'arrivez pas à vous en procurer, augmentez les quantités de menthe et de coriandre.

Vermicelles croustillants au tofu et au poulet

Pour 4 personnes.

PRÉPARATION 20 MINUTES • CUISSON 20 MINUTES

huile végétale pour la friture
125 g de vermicelles de riz
1 ¹/₂ c. s. d'huile d'arachide
2 œufs, légèrement battus
1 c. s. d'eau
500 g de poulet haché
60 ml de jus de citron
2 c. s. de nuoc-mâm
2 c. s. de sauce tomate
1 c. c. de sauce de soja
2 c. c. de sucre roux
2 c. c. de piment rouge frais, haché menu
1 c. s. de coriandre fraîche, ciselée
3 oignons nouveaux, émincés
300 g de tofu ferme, grossièrement coupé

1 Faites chauffer l'huile végétale dans un faitout ; mettez les vermicelles à frire par petites quantités jusqu'à ce qu'ils gonflent. Égouttez-les sur du papier absorbant.

2 Faites chauffer 1 cuillerée à café d'huile d'arachide dans un wok ou une grande poêle. Versez-y la moitié des œufs mélangés à l'eau. Faites tourner la poêle pour obtenir une omelette fine. Lorsqu'elle est cuite mais encore ferme, roulez-la sur une planche à découper et découpez-la en fines lanières. Répétez l'opération avec le reste des œufs.

3 Faites chauffer le reste de l'huile dans le wok. Mettez le poulet à revenir jusqu'à ce qu'il soit doré et cuit à point. Ajoutez le jus de citron, les sauces, le sucre, le piment et la coriandre. Mélangez. Prolongez la cuisson pendant 1 minute. Incorporez l'oignon, le tofu et l'omelette en lanières. Faites sauter pour réchauffer le tout. Juste avant de servir, incorporez délicatement les vermicelles au contenu du wok.

Par portion lipides 29,1 g ; 548 kcal

Poulet au curry vert

Pour 4 personnes.

PRÉPARATION 15 MINUTES • CUISSON 40 MINUTES

**750 g de filet de poulet,
   dans la cuisse**

2 c. s. d'huile d'arachide

1 c. s. de galangal frais, râpé

810 ml de lait de coco

1 c. s. de nuoc-mâm

30 g de basilic frais, en lanières

Pâte de curry vert

**8 petits piments verts frais,
   grossièrement coupés**

**3 gousses d'ail,
   grossièrement coupées**

**2 tiges de citronnelle fraîche,
   grossièrement coupées**

**3 racines et tiges de coriandre
   fraîche, grossièrement coupées**

2 c. c. de zeste de citron vert râpé

1 c. c. de graines de carvi

1 c. c. de curcuma moulu

1 c. c. de pâte de crevettes

2 c. s. d'eau

1 Coupez le poulet en lanières de 1 cm d'épaisseur.

2 Faites chauffer l'huile dans un faitout ; faites revenir 2 cuillerées de pâte de curry vert à feu vif en remuant. Ajoutez le poulet ; prolongez la cuisson à feu moyen 3 minutes en enrobant bien le poulet de pâte de curry et en le faisant dorer de toutes parts.

3 Incorporez le galangal et le lait de coco. Portez à ébullition. Laissez mijoter 45 minutes sans couvrir à feu doux, jusqu'à ce que le mélange épaississe. Ajoutez le nuoc-mâm ; saupoudrez de basilic.

Pâte de curry vert Mixez tous les ingrédients jusqu'à ce qu'ils soient finement hachés.

Par portion lipides 64,1 g ; 764 kcal

L'ASTUCE DU CHEF

La pâte de curry se conservera 2 semaines dans un récipient hermétique au réfrigérateur. Il est en revanche préférable de préparer ce plat au dernier moment.

Curry d'agneau aux cacahuètes

Pour 4 personnes.

PRÉPARATION 35 MINUTES • CUISSON 20 MINUTES

800 g de filet d'agneau

1 c. s. d'huile

3 piments rouges frais, émincés

375 ml de lait de coco

2 c. s. de nuoc-mâm

1 c. c. de sucre de palme

2 c. s. de jus de citron vert

75 g de cacahuètes grillées, hachées menu

2 c. s. de coriandre fraîche, ciselée

Pâte de curry

2 piments rouges frais, émincés

1 feuille de citronnier kaffir séchée

1/2 c. c. de poudre de galangal

1 tige de citronnelle fraîche, hachée menu

1 c. c. de poudre de crevettes séchées

80 ml d'eau bouillante

4 oignons nouveaux, émincés

2 gousses d'ail, pilées

1/4 c. c. de coriandre moulue

1 c. s. de nuoc-mâm

2 c. s. de beurre de cacahuètes, avec morceaux

1 Coupez le filet d'agneau en trois portions ; à l'aide d'un maillet à viande, aplatissez chaque morceau jusqu'à ce qu'il ne fasse plus que 5 mm d'épaisseur. Faites chauffer l'huile dans un faitout et faites saisir la viande des deux côtés. Lorsqu'elle est bien dorée, réservez.

2 Mélangez 2 cuillerées à soupe de pâte de curry avec les piments dans le faitout. Faites revenir 2 minutes à feu vif, jusqu'à ce que le mélange embaume.

3 Ajoutez le lait de coco, le nuoc-mâm, le sucre, le jus de citron et les cacahuètes ; prolongez la cuisson en remuant jusqu'à ébullition. Remettez l'agneau dans le faitout ; laissez mijoter sans couvrir 5 minutes environ ; incorporez la coriandre.

Pâte de curry Mélangez les piments, la feuille de citronnier, le galangal, la citronnelle, la poudre de crevettes et l'eau dans un saladier. Laissez reposer 20 minutes. Égouttez les ingrédients et mixez-les avec les oignons, l'ail, la coriandre, le nuoc-mâm et le beurre de cacahuètes jusqu'à obtention d'une pâte grossière.

Par portion lipides 49 g ; 685 kcal

L'ASTUCE DU CHEF

Ce plat peut être préparé 3 heures à l'avance si vous le gardez couvert au réfrigérateur. La pâte de curry se conservera 2 semaines au frais, dans un récipient hermétique.

Nouilles sautées au porc et aux crevettes

Pour 6 personnes.

PRÉPARATION 25 MINUTES • CUISSON 20 MINUTES

375 g de nouilles de riz fraîches
65 g de sucre de palme
2 c. c. de sauce de soja
1 c. s. de sauce tomate
60 ml de sauce aux piments douce
60 ml de nuoc-mâm
1 c. s. d'huile d'arachide
200 g de porc haché
2 gousses d'ail, pilées
1 c. s. de gingembre frais, râpé
3 œufs, légèrement battus
200 g de crevettes moyennes cuites, décortiquées
2 c. c. de piment rouge frais, émincé
2 oignons nouveaux, émincés
160 g de germes de soja, parés
2 c. s. de coriandre fraîche, ciselée
75 g de cacahuètes grillées, grossièrement hachées

1 Mettez les nouilles dans un saladier résistant à la chaleur ; couvrez-les d'eau bouillante. Laissez-les reposer jusqu'à ce qu'elles soient tendres. Égouttez.

2 Mélangez le sucre et les sauces dans une petite casserole ; faites cuire en remuant pour dissoudre le sucre.

3 Faites chauffer l'huile dans un wok ou une grande poêle ; faites revenir la viande avec l'ail et le gingembre. Lorsqu'elle est bien dorée ajoutez les œufs et les crevettes ; prolongez la cuisson jusqu'à ce que l'œuf soit ferme.

4 Ajoutez les nouilles, le mélange de sauces et les autres ingrédients ; faites cuire quelques minutes à feu doux pour réchauffer le tout.

Par portion lipides 15,2 g ; 447 kcal

Soupe de maïs aux croquettes de poisson

Pour 6 personnes.

PRÉPARATION 25 MINUTES • CUISSON 35 MINUTES

8 épis de maïs

1 c. s. d'huile d'arachide

1 gros oignon, émincé

2 gousses d'ail, pilées

1 c. s. de gingembre frais, râpé

**30 g de citronnelle fraîche,
grossièrement hachée**

500 g de potiron, coupé en dés

750 ml de bouillon de légumes

1,5 l d'eau

Croquettes de poisson

**2 oignons nouveaux,
grossièrement hachés**

**2 c. s. de coriandre fraîche,
grossièrement hachée**

**400 g de filets de poisson blanc
à chair ferme, sans arêtes,
grossièrement coupés**

**2 c. s. de menthe vietnamienne
fraîche, en lanières**

**1 piment rouge frais, coupé
en quatre**

1 œuf

**4 feuilles de citronnier kaffir,
en lanières**

1 c. s. de gingembre frais, émincé

2 gousses d'ail, coupées en quatre

2 c. s. d'huile d'arachide

1 Prélevez les grains de maïs sur les épis.

2 Faites chauffer l'huile dans une grande casserole et faites revenir en remuant l'oignon, l'ail, le gingembre et la citronnelle. Ajoutez le maïs et le potiron. Prolongez la cuisson pendant 5 minutes en remuant.

3 Ajoutez le bouillon et l'eau ; portez à ébullition. Couvrez et laissez mijoter 20 minutes environ à feu doux.

4 Mixez le mélange, par petites quantités, jusqu'à obtention d'une purée. Passez-le dans un grand tamis, au-dessus d'une casserole propre. Faites réchauffer doucement. Servez la soupe avec les croquettes de poisson. Vous pouvez ajouter au dernier moment un peu de coriandre fraîche hachée.

Croquettes de poisson Mixez les oignons, la coriandre, le poisson, la menthe, le piment, l'œuf, les feuilles de citronnier, le gingembre et l'ail jusqu'à obtention d'un mélange bien homogène. Avec les mains, façonnez des boulettes en prélevant pour chacune 1 cuillerée à soupe rase du mélange. Aplatissez-les légèrement pour former des croquettes (vous devriez en obtenir 18). Disposez-les sur un plat. Couvrez ; placez 30 minutes au réfrigérateur. Faites chauffer l'huile dans une grande poêle. Faites cuire les croquettes, par petites quantités, jusqu'à ce qu'elles soient dorées des deux côtés et cuites à point. Égouttez-les sur du papier absorbant.

Par portion lipides 15 g ; 434 kcal

L'ASTUCE DU CHEF
On peut remplacer le potiron par de la patate douce.

Poulet en croûte à la thaïlandaise

Pour 4 personnes.

PRÉPARATION 15 MINUTES • CUISSON 20 MINUTES

150 g de cacahuètes grillées
60 g de pâte de curry rouge
60 g de coriandre fraîche
80 ml de lait de coco
4 blancs de poulet
1 gros concombre
80 g de germes de soja
40 g de menthe fraîche
1 oignon rouge moyen, émincé

1 Mixez les cacahuètes, la pâte de curry, la moitié de la coriandre et le lait de coco (hachez les cacahuètes grossièrement).

2 Mettez le poulet dans un plat à rôtir graissé ; étalez un quart du mélange à base de cacahuètes sur chaque filet. Faites cuire 20 minutes à four modéré, jusqu'à ce que la garniture soit dorée et le poulet cuit à point. Laissez reposer 5 minutes avant de découper le poulet.

3 Pendant ce temps, coupez le concombre en deux dans le sens de la longueur. Ôtez les pépins. Découpez-le en fines rondelles.

4 Mélangez le poulet et le concombre avec les germes de soja, la menthe, le reste de la coriandre et l'oignon dans un saladier.

Par portion lipides 31,9 g ; 535 kcal

Curry de bœuf musaman

Pour 6 personnes.

PRÉPARATION 25 MINUTES • CUISSON 1 H 10

60 ml d'huile d'arachide

**1 kg de filet de bœuf,
en dés de 3 cm**

**500 g de petites pommes de terre,
coupées en deux**

**250 g de petits oignons,
coupés en deux**

810 ml de crème de coco

1 c. c. de concentré de tamarin

160 ml d'eau chaude

50 g de sucre roux

Pâte de curry musaman

**3 oignons nouveaux,
grossièrement hachés**

2 gousses d'ail, pilées

**2 c. s. de citronnelle fraîche,
hachée menu**

2 piments rouges frais, émincés

1 c. s. de graines de coriandre

1 c. s. de graines de cumin

3 gousses de cardamome

1/2 c. c. de muscade moulue

1/4 c. c. de clous de girofle moulus

1/4 c. c. de grains de poivre noir

2 c. c. de pâte de crevettes

60 ml d'eau chaude

1 Faites chauffer l'huile dans un faitout ; faites saisir le bœuf à feu vif en remuant. Lorsqu'il est doré de toutes parts, égouttez-le sur du papier absorbant.

2 Mettez les pommes de terre et les oignons dans le faitout ; faites-les sauter à feu vif. Lorsqu'ils sont légèrement dorés, ajoutez la pâte de curry ; prolongez la cuisson pendant 1 minute.

3 Remettez le bœuf. Incorporez la crème de coco et le concentré de tamarin mélangé à l'eau et au sucre. Portez à ébullition. Laissez mijoter 45 minutes sans couvrir à feu doux, jusqu'à ce que le bœuf soit tendre et que le mélange ait légèrement épaissi.

Pâte de curry musaman Mélangez l'oignon, l'ail, la citronnelle, le piment, les graines de coriandre et de cumin, la cardamome, la muscade, la poudre de clous de girofle et le poivre dans un bol. Étalez ce mélange sur une plaque et faites cuire 10 minutes à four moyen, puis laissez refroidir. Mixez la pâte de crevettes et l'eau jusqu'à obtention d'une préparation homogène. Ajoutez progressivement le mélange à base d'épices ; mixez à nouveau jusqu'à ce que tous les ingrédients soient bien amalgamés.

Par portion lipides 42,6 g ; 656 kcal

L'ASTUCE DU CHEF

Vous pouvez préparer ce curry 2 jours à l'avance en le gardant couvert, au réfrigérateur. Réchauffez-le à feu très doux.

Poulet au curry vert

Pour 4 personnes.

PRÉPARATION 10 MINUTES • CUISSON 15 MINUTES

1 gros oignon blanc, émincé

1 c. s. de gingembre frais, râpé

4 feuilles de citronnier kaffir, en fines lanières

1 tige de citronnelle fraîche, broyée

2 c. s. de pâte de curry verte

500 g de blancs de poulet, dans la cuisse, coupés en quatre

250 ml de bouillon de volaille

250 ml de lait de coco allégé

1 petit poivron vert, en tranches fines

140 g de petits pois frais écossés

15 g de basilic pourpre frais, en lanières

15 g de coriandre fraîche, en lanières

1 Mélangez l'oignon, le gingembre, les feuilles de citronnier, la citronnelle et la pâte de curry dans une casserole ; faites revenir 2 minutes à feu vif.

2 Ajoutez le poulet, le bouillon et le lait de coco ; portez lentement à ébullition. Laissez mijoter sans couvrir 10 minutes à feu doux. Ajoutez le poivron et les petits pois. Prolongez la cuisson pendant 3 minutes, jusqu'à ce que le poulet et les légumes soient cuits.

3 Jetez la citronnelle. Incorporez délicatement le basilic et la coriandre.

Par portion lipides 12 g ; 324 kcal

Poisson aux piments et à la coriandre

Pour 2 personnes.

PRÉPARATION 10 MINUTES • CUISSON 25 MINUTES

6 filets de perche de 70 g chacun

1 petit oignon, émincé

125 ml d'eau

60 ml de vermouth sec

2 c. s. de jus de citron vert

1 piment rouge frais, émincé

2 c. s. de sucre

1 c. c. de Maïzena

**60 g de coriandre fraîche,
    finement ciselée**

**1/2 poivron rouge moyen,
    en tranches fines**

**2 oignons nouveaux,
    en tronçons de 5 cm**

1 Mettez le poisson dans un plat à rôtir peu profond. Garnissez-le d'oignon. Versez dessus l'eau mélangée au vermouth et à 1 cuillerée de jus de citron ; couvrez. Faites cuire 15 minutes à four moyen.

2 Retirez le poisson du plat. Gardez-le au chaud. Passez le liquide ; réservez-le.

3 Délayez la Maïzena avec le jus de citron restant et versez dans une casserole avec le liquide de cuisson du poisson, le piment et le sucre.

4 Faites chauffer à feu vif jusqu'à ce que le sucre soit dissous et portez à ébullition pour que le mélange épaississe. Incorporez la moitié de la coriandre. Disposez le poisson, le poivron, les oignons et le reste de coriandre sur des assiettes ; arrosez de sauce.

Par portion lipides 4,8 g ; 347 kcal

123

Curry de porc aux aubergines

Pour 6 personnes.

PRÉPARATION 30 MINUTES • CUISSON 20 MINUTES

750 g de filet de porc
60 ml de crème de coco
625 ml de lait de coco
1 aubergine moyenne,
    coupée grossièrement
1 c. s. de nuoc-mâm
1 1/2 c. c. de gingembre frais, râpé
2 c. c. de sucre de palme
3 piments verts frais,
    en tranches fines
3 piments rouges frais,
    en tranches fines
30 g de feuilles de basilic fraîches,
    en lanières

Pâte de curry

2 c. c. de piment moulu
1 oignon rouge moyen, émincé
3 gousses d'ail, pilées
2 c. s. de citronnelle fraîche,
    hachée menu
1 c. c. de poudre de galangal
2 c. c. de racine de coriandre
    fraîche, hachée menu
1 c. c. de zeste de citron vert, râpé
1/2 c. c. de pâte de crevettes
1 feuille de citronnier kaffir séchée
1 c. c. de paprika
1/2 c. c. de curcuma moulu
1/2 c. c. de graines de cumin
2 c. c. d'huile environ

1 Détaillez le porc en tranches de 2 cm ; coupez les tranches en deux. Mélangez la crème de coco et la pâte de curry dans une grande casserole ; faites chauffer 1 minute, jusqu'à ce que le mélange embaume. Ajoutez le porc ; faites cuire 5 minutes.

2 Incorporez le lait de coco, l'aubergine, le nuoc-mâm, le gingembre, le sucre et les piments. Portez à ébullition. Couvrez et laissez mijoter à feu doux jusqu'à ce que la viande soit tendre. Ajoutez le basilic.

Pâte de curry Mixez tous les ingrédients ensemble avec assez d'huile pour obtenir une pâte homogène.

Par portion lipides 30,3 g ; 428 kcal

L'ASTUCE DU CHEF

Ce plat peut être préparé la veille. Quant à la pâte de curry, vous la conserverez 1 semaine, couverte, au réfrigérateur.

Dorades au citron vert et au tamarin

Pour 4 personnes.

PRÉPARATION 20 MINUTES • CUISSON 30 MINUTES

2 c. s. de concentré de tamarin

80 ml d'eau bouillante

2 gousses d'ail, pilées

1 c. s. de gingembre frais, râpé

2 c. s. de jus de citron vert

**2 piments rouges frais,
épépinés et émincés**

**2 c. s. de citronnelle fraîche,
finement hachée**

**16 feuilles de citronnier kaffir,
en lanières**

4 dorades moyennes entières

25 g de coriandre fraîche

**2 piments rouges frais
supplémentaires, émincés**

1 Mélangez le concentré de tamarin et l'eau dans un bol résistant à la chaleur ; ajoutez l'ail, le gingembre, le jus de citron vert, le piment et la citronnelle.

2 Répartissez les feuilles de citronnier à l'intérieur des poissons. Entaillez les poissons de part et d'autre ; badigeonnez-les avec un tiers du mélange à base de tamarin.

3 Enveloppez les poissons dans du papier d'aluminium graissé. Mettez-les sur une plaque du four. Faites-les cuire à température moyenne 30 minutes environ en les badigeonnant avec le restant du mélange à base de tamarin en cours de cuisson. Servez les poissons garnis de coriandre et des piments supplémentaires. Présentez avec du riz cuit à la vapeur.

Par portion lipides 11,7 g ; 288 kcal

LES ASTUCES DU CHEF

Utilisez de la pulpe de tamarin si vous n'en trouvez pas sous forme concentrée : faites tremper 100 g de pulpe de tamarin 10 minutes environ dans 125 ml d'eau chaude. Pressez-la pour libérer les arômes. Égouttez. Utilisez le liquide ; jetez la pulpe.

126

Salade au tofu et aux œufs

Pour 4 personnes.

PRÉPARATION 25 MINUTES • MARINADE 2 HEURES • CUISSON 15 MINUTES

2 c. c. de racine de coriandre fraîche, finement hachée

1 gousse d'ail, pilée

1 c. s. de gingembre frais, râpé

2 c. s. de sucre roux

2 c. s. de sauce de soja brune

1 c. c. de poudre cinq-épices

2 c. c. d'huile

60 ml d'eau

6 radis

375 g de tofu ferme, égoutté, coupé en dés

1 c. s. de coriandre fraîche, ciselée

1 piment rouge frais, émincé

1 œuf dur, grossièrement haché

1 Mixez la racine de coriandre, l'ail, le gingembre, le sucre, la sauce de soja et la poudre cinq-épices jusqu'à obtention d'un mélange homogène.

2 Faites chauffer l'huile dans un wok ou une grande poêle ; faites revenir le mélange à base de gingembre 2 minutes environ, jusqu'à ce qu'il embaume. Ajoutez l'eau ; laissez refroidir à température ambiante.

3 Coupez les radis en fines lanières. Mélangez le tofu et les radis dans un saladier ; versez le mélange à base de gingembre dessus. Couvrez ; laissez reposer 2 heures en remuant de temps en temps.

4 Ajoutez la coriandre, le piment et l'œuf.

Par portion lipides 9,6 g ; 199 kcal

L'ASTUCE DU CHEF

Cette recette peut être préparée 6 heures à l'avance. Conservez le plat au réfrigérateur.

Fruits de mer sautés au basilic

Pour 4 personnes.

PRÉPARATION 30 MINUTES • CUISSON 10 MINUTES

200 g de filets de poisson blanc
8 moules
250 g de grosses crevettes crues
100 g d'encornets
2 gousses d'ail, pilées
1 piment rouge frais, finement haché
1 c. s. de racine de coriandre fraîche, finement hachée
60 ml d'huile d'arachide
100 g de noix de coquilles Saint-Jacques
2 c. s. de sauce aux huîtres
2 c. s. de nuoc-mâm
1 poivron rouge moyen, en tranches fines
8 oignons nouveaux, finement hachés
25 g de basilic frais, en lanières

1 Coupez le poisson en petits morceaux. Nettoyez les moules ; ôtez les barbes. Décortiquez les crevettes en laissant les queues intactes. Videz les encornets et coupez-les en morceaux de 6 cm ; entaillez la surface intérieure en croisillons avec un couteau pointu.

2 À l'aide d'un mortier et d'un pilon, écrasez l'ail, le piment et la coriandre jusqu'à obtention d'une pâte. Faites chauffer l'huile dans un wok ou une grande poêle ; faites revenir la pâte en remuant 1 minute environ jusqu'à ce qu'elle embaume.

3 Ajoutez le poisson et les fruits de mer ; faites-les sauter jusqu'à ce qu'ils soient tendres.

4 Incorporez la sauce aux huîtres, le nuoc-mâm, le poivron, les oignons et le basilic ; prolongez la cuisson pendant 2 minutes. Présentez avec du basilic frais et des tiges d'oignons nouveaux en fines lanières.

Par portion lipides 18 g ; 336 kcal

Légumes thaïs au curry rouge

Pour 4 personnes.

PRÉPARATION 20 MINUTES • CUISSON 20 MINUTES

1 c. s. d'huile d'arachide

1 gros poireau, en tranches fines

2 gousses d'ail, pilées

1 gros piment rouge, épépiné et finement haché

90 g de pâte de curry rouge

2 carottes moyennes, grossièrement hachées

3 branches de céleri parées, en tranches fines

400 g de tomates en boîte

410 ml de crème de coco

250 ml de bouillon de légumes

300 g de chou-fleur, en bouquets

1 patate douce moyenne, en morceaux de 3 cm

175 g de haricots verts, en tronçons de 4 cm

4 feuilles de citronnier kaffir

30 g de coriandre fraîche, grossièrement coupée

1 Faites chauffer l'huile dans un faitout ; mettez à revenir le poireau avec l'ail et le piment jusqu'à ce qu'il soit fondant.

2 Ajoutez la pâte de curry ; prolongez la cuisson en remuant jusqu'à ce que le mélange embaume. Incorporez les carottes et le céleri. Continuez à faire cuire 5 minutes en remuant. Joignez les tomates concassées avec leur jus, la crème de coco et le bouillon ; portez à ébullition. Laissez mijoter sans couvrir 10 minutes à feu doux.

3 Ajoutez le chou-fleur, la patate douce, les haricots et les feuilles de citronnier ; laissez mijoter sans couvrir 15 minutes encore. Incorporez la coriandre ; prolongez la cuisson 5 minutes environ sans couvrir, jusqu'à épaississement de la sauce. Servez avec du riz à la vapeur.

Par portion lipides 30, 6 g ; 445 kcal

LES ASTUCES DU CHEF

• Vous pouvez utiliser des germes de soja, des pousses de bambou, des mini-aubergines et des petits pois à la place (ou avec) les légumes mentionnés dans cette recette.

• Les feuilles de citronnier kaffir se conserveront au congélateur dans un sac en plastique hermétiquement fermé.

Vermicelles frits aux crevettes

Pour 6 personnes.

PRÉPARATION 15 MINUTES • CUISSON 10 MINUTES

huile végétale pour la friture
100 g de vermicelles de riz
3 c. c. d'huile d'arachide
2 gousses d'ail, pilées
100 g de poulet haché
1 œuf, légèrement battu
55 g de sucre
2 c. s. d'eau
1 c. s. de vinaigre blanc
300 g de petites crevettes cuites,
décortiquées
2 oignons nouveaux,
en tranches fines

1 Faites chauffer l'huile dans un wok ou une grande poêle ; faites frire les vermicelles, par petites quantités, jusqu'à ce qu'ils gonflent. Égouttez-les sur du papier absorbant.

2 Faites chauffer 2 cuillerées à café d'huile d'arachide dans une casserole ; faites cuire l'ail 1 minute en remuant. Ajoutez le poulet ; mélangez et prolongez la cuisson pendant 1 minute environ. Réservez.

3 Faites chauffer le reste de l'huile dans le wok. Versez l'œuf et inclinez la poêle de manière à en couvrir la base ; faites cuire l'omelette 1 minute de chaque côté. Retirez-la. Roulez-la ; découpez-la en tranches de 5 mm.

4 Mélangez le sucre, l'eau et le vinaigre dans une petite casserole ; faites chauffer pour dissoudre le sucre. Mélangez les vermicelles, le poulet, les crevettes, les oignons, les tranches d'omelette et le sirop de sucre dans un grand saladier. Remuez délicatement.

Par portion lipides 9 g ; 198 kcal

Poulpes au citron vert et aux piments

Pour 6 personnes.

PRÉPARATION 20 MINUTES • MARINADE 3 HEURES • CUISSON 30 MINUTES

**2 kg de petits poulpes parés,
   coupés en deux**

125 ml d'huile d'olive

60 ml de vin rouge sec

**30 g de citronnelle fraîche,
   hachée menu**

2 c. s. de zeste de citron vert, râpé

1 c. s. de zeste de citron, râpé

3 gousses d'ail, pilées

**4 piments rouges frais,
   épépinés et émincés**

2 c. c. de gingembre frais, râpé

250 ml d'huile d'arachide

**16 carrés de pâtes à wontons
   (raviolis chinois)**

1 c. s. de sel de mer

2 c. c. de piment moulu

1 poireau moyen

1 c. s. de sauce aux piments douce

1 Mélangez les poulpes, l'huile d'olive, le vin, la citronnelle, les zestes de citron, l'ail, les piments et le gingembre dans un saladier. Couvrez ; placez au moins 3 heures au réfrigérateur.

2 Égouttez les poulpes au-dessus du saladier ; réservez 125 mm de marinade.

3 Faites chauffer l'huile d'arachide dans un wok ou une grande poêle. Faites frire les carrés de pâtes à wontons en plusieurs fois, jusqu'à ce qu'ils soient légèrement dorés. Égouttez-les sur du papier absorbant. Pendant qu'ils sont encore chauds, saupoudrez-les de sel et de piment moulu mélangés.

4 Coupez le poireau dans le sens de la longueur ; détaillez chaque moitié en fines lanières.

5 Réchauffez l'huile dans le wok et faites à frire le poireau. Lorsqu'il est légèrement doré, égouttez-le sur du papier absorbant.

6 Videz l'huile contenue dans le wok. Faites sauter les poulpes par petites quantités, jusqu'à ce qu'ils soient tendres.

7 Ajoutez la marinade réservée et la sauce aux piments ; faites cuire à feu vif jusqu'à ébullition de la sauce qui doit légèrement épaissir.

8 Servez les poulpes garnis de poireau frit avec les carrés de pâtes à wontons.

Par portion lipides 27,3 g ; 489 kcal

Moules à la citronnelle

Pour 4 personnes.

PRÉPARATION 10 MINUTES • CUISSON 10 MINUTES

28 grosses moules

2 tiges de citronnelle fraîche

2 gousses d'ail, pilées

**2 piments rouges frais,
épépinés et émincés**

60 ml de jus de citron vert

2 c. c. de nuoc-mâm

60 ml d'eau

2 c. c. de sucre

**25 g de coriandre fraîche
grossièrement hachée**

1 Nettoyez les moules sous l'eau froide ; ôtez les barbes.

2 Coupez la citronnelle en fines lanières de 5 cm. Mélangez la citronnelle, l'ail, le piment, le jus de citron, le nuoc-mâm, l'eau et le sucre dans une casserole. Faites chauffer sans bouillir pour dissoudre le sucre. Portez à ébullition ; ajoutez les moules. Couvrez et laissez mijoter 5 minutes environ à feu doux jusqu'à ce que les moules s'ouvrent. (Jetez toutes celles qui restent fermées.) Présentez les moules saupoudrées de coriandre.

Par portion lipides 1,1 g ; 56 kcal

Poulet au curry rouge

Pour 4 personnes.

PRÉPARATION 15 MINUTES • CUISSON 40 MINUTES

**750 g de filets de poulet,
   dans la cuisse**

410 ml de lait de coco

**200 g d'aubergines, coupées
   en deux**

**4 feuilles de citronnier kaffir,
   en lanières**

**1 poivron rouge moyen,
   grossièrement haché**

Pâte de curry

**3 gousses d'ail,
   grossièrement hachées**

**2 c. s. de citronnelle fraîche,
   grossièrement hachée**

1 c. s. de galangal frais, râpé

**4 oignons nouveaux,
   grossièrement hachés**

1 c. c. de pâte de crevettes

**5 piments rouges frais, épépinés
   et grossièrement coupés**

1 c. c. de paprika fort

60 ml d'huile d'arachide

1 Coupez le poulet en tranches de 3 cm. Faites cuire la pâte de curry dans une grande poêle 3 minutes environ, jusqu'à ce que le mélange embaume. Ajoutez le poulet ; faites cuire en remuant jusqu'à ce qu'il soit doré. Incorporez le lait de coco, l'aubergine et les feuilles de citronnier ; portez à ébullition. Laissez mijoter 20 minutes à feu doux sans couvrir.

2 Ajoutez le poivron ; laissez mijoter, sans couvrir, 10 minutes environ. Jetez les feuilles de citronnier avant de servir. Présentez avec du riz cuit à la vapeur.

Pâte de curry Mixez les ingrédients jusqu'à obtention d'un mélange homogène.

Par portion lipides 45,8 g ; 600 kcal

L'ASTUCE DU CHEF
Vous pouvez remplacer les aubergines par des haricots verts.

Tresses de sirène

Pour 6 personnes.

PRÉPARATION 30 MINUTES • CUISSON 10 MINUTES

1 kg de brocolis chinois
2 c. c. de sucre roux
2 c. c. d'eau
75 g de noix de cajou non salées, grillées
2 c. c. de graines de sésame blanc
huile végétale pour la friture
2 c. s. de petites crevettes séchées
1 c. s. de sucre
¹/₂ c. c. de sel

1 Coupez les tiges des brocolis ; découpez les brocolis finement.

2 Mélangez le sucre roux et l'eau dans une casserole moyenne ; faites chauffer à feu moyen en remuant pour dissoudre le sucre. Ajoutez les noix de cajou et les graines de sésame. Prolongez la cuisson en remuant jusqu'à ce qu'elles soient enrobées de sirop. Mettez-les sur une plaque de four graissée ; laissez refroidir.

3 Faites chauffer l'huile dans un wok ou une grande poêle. Faites frire les crevettes ; lorsqu'elles sont bien croustillantes, égouttez-les sur du papier absorbant. Faites frire les brocolis, par petites quantités ; lorsqu'ils sont cuits mais croquants, égouttez-les sur du papier absorbant. Saupoudrez-les du sucre et du sel mélangés. Disposez ces tresses de sirène dans un plat de service ; garnissez avec les crevettes et le mélange de noix et de graines de sésame.

Par portion lipides 15,6 g ; 179 kcal

Salade de concombre au tofu

Pour 4 personnes.

PRÉPARATION 25 MINUTES • RÉFRIGÉRATION 30 MINUTES
CUISSON 10 MINUTES

2 gros concombres
1 c. s. de gros sel
80 ml de mirin
60 ml de vinaigre de riz
1 c. s. de sauce de soja
1 c. s. de dashi
2 c. c. de sucre
huile végétale pour la friture
300 g de tofu ferme, en dés de 3 cm
2 c. c. de wakame, en lanières

1 Coupez les concombres en deux dans le sens de la longueur. Ôtez les graines. Découpez les concombres en tranches fines, puis mettez-les avec le sel dans un saladier. Couvrez ; placez 30 minutes au réfrigérateur.

2 Pendant ce temps, mélangez le mirin, le vinaigre, la sauce de soja, le dashi et le sucre dans une casserole. Faites chauffer sans bouillir 5 minutes environ pour dissoudre le sucre. Laissez refroidir.

3 Faites chauffer l'huile dans une casserole ; faites frire le tofu, par petites quantités, jusqu'à ce qu'il soit doré. Égouttez-le sur du papier absorbant.

4 Rincez les concombres sous l'eau froide ; égouttez-les.

5 Mélangez les concombres, le wakame et le mélange à base de mirin dans un saladier ; remuez délicatement. Disposez le tofu sur les assiettes de service ; garnissez avec la salade de concombres.

Par portion lipides 7,1 g ; 143 kcal

Sambal au concombre et à l'ananas

Pour 6 personnes.

PRÉPARATION 15 MINUTES • CUISSON 2 MINUTES

3 c. c. de pâte de crevettes
2 piments rouges frais,
  épépinés et émincés
1 c. s. de jus de citron vert
1 c. s. de sauce de soja
1 c. c. de sucre
1 petit concombre, pelé, épépiné
  et grossièrement haché
1 petit ananas, grossièrement haché
6 oignons nouveaux, en tranches fines

1 Faites cuire la pâte de crevettes dans une casserole jusqu'à ce qu'elle soit sèche et grumeleuse. Dans un mortier, mélangez-la avec les piments et écrasez avec le pilon. Ajoutez le jus de citron vert, la sauce de soja et le sucre ; remuez bien.

2 Mélangez le concombre, l'ananas et les oignons dans un saladier ; incorporez le mélange à base de piments.

Par portion lipides 0,3 g ; 55 kcal

L'astuce du chef
Ce plat peut être préparé la veille si vous le conservez couvert au réfrigérateur.

Salade de carottes aux graines de moutarde

Pour 4 personnes.

PRÉPARATION 10 MINUTES • CUISSON 10 MINUTES

1 c. s. de graines de moutarde noires
4 carottes moyennes
1 c. s. d'huile d'arachide
60 ml de jus de citron
1 gros oignon rouge, émincé
30 g de coriandre fraîche

1 Faites cuire les graines de moutarde dans une poêle chauffée à sec, en remuant jusqu'à ce qu'elles embaument. Coupez les carottes en deux dans le sens de la longueur. Détaillez chaque moitié en tranches de 2 cm, en diagonale. Faites-les cuire à l'eau ou à la vapeur jusqu'à ce qu'elles soient tendres. Égouttez-les. Laissez refroidir.

2 Juste avant de servir, mélangez les carottes avec les graines de moutarde et les autres ingrédients dans un saladier. Remuez bien.

Par portion lipides 5,3 g ; 100 kcal

salades

La Malaisie et Singapour

La proximité géographique de ces deux pays et un héritage commun marqué par des influences indiennes, musulmanes et chinoises ont donné naissance à une gastronomie qui se joue le plus souvent des frontières. Mais on trouve aussi des spécialités régionales comme le fameux crabe aux piments de Singapour ou le curry rendang originaire de Malaisie.

Laksa de crustacés

Pour 4 personnes.

PRÉPARATION 45 MINUTES • CUISSON 30 MINUTES

1 langouste de 1 kg
1 petit poireau
huile végétale pour la friture
16 grosses crevettes crues
750 ml d'eau
1 c. s. d'huile d'arachide
210 g de pâte laksa
750 ml de lait de coco
8 feuilles de citronnier kaffir,
    en lanières
2 c. c. de nuoc-mâm
200 g de nouilles fraîches aux œufs
1 petit poivron rouge,
    en tranches fines
100 g de germes de soja, parés
50 g de pois mange-tout,
    en tranches fines
4 oignons nouveaux,
    finement hachés
40 g de coriandre fraîche
35 g de noix de cajou,
    grossièrement hachées

1 Posez la langouste à l'envers sur une planche à découper. Séparez la queue du corps ; coupez la queue dans le sens de la longueur et retirez la chair.

2 Coupez le poireau dans le sens de la longueur. Supprimez le vert et détaillez le blanc en fines lanières. Faites-le frire dans un peu d'huile végétale, par petites quantités, jusqu'à ce qu'il soit légèrement doré. Égouttez-le sur du papier absorbant.

3 Décortiquez les crevettes en laissant les queues intactes.

4 Dans une grande casserole d'eau bouillante plongez les crevettes et la chair de la langouste, coupée en tranches épaisses. Laissez cuire 2 minutes à feu doux sans couvrir. Égouttez-les. Réservez le bouillon.

5 Faites chauffer l'huile d'arachide dans une casserole ; faites revenir la pâte laksa 2 minutes en remuant. Ajoutez le lait de coco, les feuilles de citronnier et le bouillon réservé ; laissez mijoter 15 minutes sans couvrir. Incorporez le nuoc-mâm et les crustacés. Prolongez la cuisson à feu doux 2 minutes.

6 Pendant ce temps, mettez les nouilles dans un saladier résistant à la chaleur. Couvrez-les d'eau bouillante. Laissez reposer jusqu'à ce qu'elles soient tendres. Égouttez. Répartissez les nouilles dans les bols de service. Ajoutez le poivron, les germes de soja, les pois mange-tout et les crustacés avec leur sauce. Garnissez avec le poireau, les oignons, la coriandre et les noix de cajou.

Par portion lipides 69,8 g ; 1 013 kcal

Nouilles à la mode de Singapour

Pour 4 personnes.

PRÉPARATION 30 MINUTES • CUISSON 15 MINUTES

250 g de nouilles sèches aux œufs

2 c. s. d'huile d'arachide

4 œufs, légèrement battus

3 gousses d'ail, pilées

1 c. s. de gingembre frais, râpé

1 oignon blanc moyen, émincé

2 c. s. de pâte de curry douce

230 g de châtaignes d'eau en boîte, grossièrement hachées

3 oignons nouveaux, en tranches fines

200 g de porc chinois au barbecue, en tranches fines

500 g de crevettes moyennes crues, décortiquées

2 c. s. de sauce de soja claire

2 c. s. de sauce aux huîtres

1 Faites cuire les nouilles dans une grande casserole d'eau bouillante, sans couvrir, jusqu'à ce qu'elles soient juste tendres ; égouttez.

2 Pendant ce temps, faites chauffer la moitié de l'huile dans un wok ou une grande poêle à fond épais. Versez la moitié des œufs ; inclinez le wok pour obtenir une omelette fine. Retirez l'omelette de la poêle ; roulez-la. Coupez-la en fines lanières. Répétez l'opération avec le reste des œufs.

3 Faites chauffer le reste de l'huile dans le wok ; faites sauter l'ail et le gingembre 1 minute. Ajoutez l'oignon et la pâte de curry. Prolongez la cuisson pendant 2 minutes jusqu'à ce que le mélange embaume.

4 Incorporez les châtaignes d'eau, les oignons nouveaux et le porc ; faites sauter 2 minutes environ jusqu'à ce que les châtaignes soient légèrement dorées.

5 Ajoutez les crevettes ; faites revenir jusqu'à ce qu'elles changent de couleur. Joignez les nouilles, les sauces et l'omelette. Mélangez et faites chauffer à feu doux pour épaissir la sauce.

Par portion lipides 27,2 g ; 635 kcal

Laksa de tofu au bok choy

Pour 4 personnes.

PRÉPARATION 25 MINUTES • CUISSON 50 MINUTES

450 g de nouilles hokkien

300 g de tofu ferme

60 ml d'huile d'arachide

2 tiges de citronnelle fraîche, hachées menu

500 ml de bouillon de légumes

500 ml d'eau

940 ml de lait de coco allégé

8 feuilles de citronnier kaffir, en lanières

2 c. s. de sucre roux

2 c. s. de sauce de soja

3 racines de coriandre fraîches

1 kg de pousses de bok choy, parées

350 g de haricots, parés, coupés en tronçons de 5 cm

30 g de coriandre fraîche

120 g de germes de soja, parés

4 oignons nouveaux, en tranches fines

Pâte de curry jaune

1 oignon moyen, coupé grossièrement

1 c. s. de gingembre frais, haché menu

4 gousses d'ail, hachées menu

1 c. s. de pâte de curry jaune

60 ml de lait de coco allégé

1 Mettez les nouilles dans un saladier résistant à la chaleur ; couvrez-les d'eau bouillante. Laissez reposer jusqu'à ce qu'elles soient juste tendres. Égouttez.

2 Coupez le tofu en morceaux de 2 cm. Faites chauffer 2 cuillerées à soupe d'huile dans une grande casserole ; faites dorer le tofu de chaque côté. Égouttez-le sur du papier absorbant.

3 Faites chauffer le reste de l'huile dans une poêle ; mettez à revenir la citronnelle et la pâte de curry à feu doux, en remuant, jusqu'à ce que le mélange embaume.

4 Ajoutez le bouillon, l'eau, le lait de coco, les feuilles de citronnier, le sucre, la sauce de soja et les racines de coriandre. Portez à ébullition. Laissez mijoter 30 minutes à feu doux sans couvrir.

5 Passez la soupe au-dessus d'un saladier résistant à la chaleur ; réservez les feuilles de citronnier. Retirez les feuilles du bok choy et coupez les tiges en fines tranches. Mettez les feuilles de citronnier réservées, les tiges et les feuilles de bok choy ainsi que les haricots dans la soupe.

6 Juste avant de servir, remettez le mélange dans la casserole ; faites chauffer jusqu'à ce que les légumes soient juste tendres. Ajoutez les nouilles, le tofu et la coriandre. Versez le laksa dans les bols de service ; garnissez de germes de soja et d'oignons nouveaux.

Pâte de curry jaune Mixez tous les ingrédients jusqu'à obtention d'une pâte homogène.

Par portion lipides 42,6 g ; 794 kcal

Laksa de crevettes

Pour 4 personnes.

PRÉPARATION 30 MINUTES • CUISSON 10 MINUTES

**1 kg de grosses crevettes,
ou gambas, crues**

160 g de nouilles de soja

1 pépino

70 g de pâte laksa

1,25 l de bouillon de légumes

250 ml de lait de coco allégé

**150 g de pois mange-tout,
coupés en tranches fines**

2 c. s. de jus de citron vert

100 g de germes de soja, parés

**25 g de menthe fraîche,
grossièrement ciselée**

**25 g de coriandre fraîche,
grossièrement ciselée**

1 Décortiquez les crevettes en laissant les queues intactes.

2 Mettez les nouilles dans un saladier résistant à la chaleur ; couvrez-les d'eau bouillante. Laissez-les reposer jusqu'à ce qu'elles soient tendres. Égouttez-les. À l'aide d'un économe, découpez le concombre en fines lanières.

3 Mélangez la pâte laksa, le bouillon et le lait de coco dans une grande casserole. Portez à ébullition. Faites cuire 1 minute. Ajoutez les crevettes et les pois mange-tout ; prolongez la cuisson de 2 minutes, jusqu'à ce que les crevettes changent de couleur. Incorporez le jus de citron vert et les germes de soja.

4 Mettez les nouilles dans des bols de service ; ajoutez les crevettes et le bouillon. Garnissez avec le concombre ; saupoudrez de menthe et de coriandre.

Par portion lipides 10 g ; 574 kcal

Blettes sautées aux amandes

Pour 4 personnes.

PRÉPARATION 10 MINUTES • CUISSON 10 MINUTES

2 c. c. d'huile d'arachide
25 g d'amandes effilées
2 c. s. de xérès
2 c. s. de sauce de soja
2 c. s. de miel
1 gousse d'ail, pilée
1/2 c. c. d'huile de sésame
1 kg de blettes, parées
**6 oignons nouveaux,
    grossièrement hachés**

1 Faites chauffer l'huile d'arachide dans un wok ou une grande poêle. Faites légèrement dorer les amandes. Retirez-les du wok. Faites chauffer à la place le xérès, la sauce de soja, le miel, l'ail et l'huile jusqu'à ébullition.

2 Ajoutez les blettes et les oignons nouveaux ; faites revenir à feu vif en remuant jusqu'à ce que les blettes soient juste flétries. Garnissez d'amandes et servez.

Par portion lipides 5,3 g ; 149 kcal

Riz au poulet hainan

Pour 4 personnes.

PRÉPARATION 25 MINUTES • CUISSON 1 H 20

**4 morceaux de poulet
avec os et peau**

1 c. c. de vin de riz chinois

2 c. c. de sauce de soja

**1 morceau de gingembre de 2 cm,
émincé**

1 gousse d'ail, en tranches fines

2 oignons nouveaux, émincés

2 l d'eau

1 c. c. d'huile de sésame

1/4 c. c. de sel

200 g de riz au jasmin

1 pépino, en tranches fines

**1 oignon nouveau supplémentaire,
en tranches fines**

Sambal au gingembre et aux piments

**4 piments rouges frais,
grossièrement hachés**

**1 gousse d'ail,
grossièrement hachée**

**1 morceau de gingembre de 2 cm,
grossièrement haché**

1 c. c. d'huile de sésame

1 c. c. d'eau

2 c. c. de jus de citron vert

1 Badigeonnez le poulet de toutes parts avec le vin de riz mélangé à la sauce de soja. Glissez délicatement le gingembre, l'ail et les oignons émincés sous la peau.

2 Portez l'eau à ébullition dans une casserole. Mettez le poulet dans l'eau. Éteignez le feu ; retournez les morceaux de poulet. Laissez reposer 20 minutes. Sortez le poulet de l'eau ; faites à nouveau bouillir le liquide. Remettez le poulet dans la casserole ; laissez reposer 20 minutes. Répétez ces trois opérations (faire bouillir l'eau, éteindre le feu, laisser reposer) à quatre reprises.

3 Retirez enfin le poulet de la casserole ; ôtez la peau. Badigeonnez le poulet avec le reste de la sauce, l'huile et le sel.

4 Faites à nouveau bouillir le liquide de cuisson sans couvrir, jusqu'à ce qu'il réduise de moitié.

5 Pendant ce temps, rincez le riz avec soin sous l'eau froide. Mettez-le dans une grande casserole ; ajoutez deux fois et demie son volume en eau. Couvrez ; portez à ébullition. Remuez plusieurs fois pour empêcher le riz de coller. Pendant la cuisson, retirez le couvercle et laissez bouillir jusqu'à ce que toute l'eau soit absorbée. Ne remuez pas. Couvrez ; laissez reposer 20 minutes. Mélangez avec une fourchette. Laissez reposer à couvert encore 10 minutes.

6 Coupez le poulet en morceaux ; servez avec le riz, le concombre et le sambal au gingembre et aux piments. Accompagnez d'un bol du liquide de cuisson saupoudré de fines tranches d'oignon.

Sambal au gingembre et aux piments Mixez tous les ingrédients (ou broyez-les avec un pilon dans un mortier) jusqu'à ce qu'ils soient bien mélangés.

Par portion lipides 20,6 g ; 516 kcal

Têtes de lion

Pour 40 têtes de lion.

PRÉPARATION 15 MINUTES • RÉFRIGÉRATION 1 HEURE • CUISSON 10 MINUTES

500 g de poulet haché
2 c. s. de sauce aux haricots noirs
2 c. s. de sauce aux prunes
2 oignons nouveaux, émincés
70 g de chapelure
1 gousse d'ail, pilée
1/4 c. c. de poudre cinq-épices
70 g de crème de maïs, en boîte
150 g de vermicelles de riz
huile végétale, pour la friture

Sauce aux piments douce
2 c. s. de sauce aux piments douce
1 c. s. de sauce de soja
2 c. s. d'eau

1 Mélangez le poulet, la sauce aux haricots noirs, la sauce aux prunes, les oignons, la chapelure, l'ail, la poudre cinq-épices et la crème de maïs dans un saladier. Façonnez des boulettes en prélevant pour chacune 1 cuillerée à soupe rase du mélange. Disposez-les sur un plat. Couvrez ; placez au moins 1 heure au réfrigérateur.

2 Brisez les vermicelles en petits morceaux dans un bol moyen ; enrobez les boulettes de vermicelles.

3 Faites chauffer l'huile dans une grande casserole. Faites frire les boulettes, par petites quantités ; lorsqu'elles sont dorées et cuites à point, égouttez-les sur du papier absorbant. Servez les têtes de lion avec de la sauce aux piments doux pour tremper.

Sauce aux piments douce   Mélangez tous les ingrédients dans un bol.

Par boulette lipides 2 g ; 52 kcal

L'ASTUCE DU CHEF
Vous pouvez remplacer les vermicelles par du riz cuit.

Darnes de poisson à la noix de coco

Pour 4 personnes.

PRÉPARATION 10 MINUTES • CUISSON 25 MINUTES

2 c. s. de noix de coco séchée

1 c. s. de graines de coriandre

2 c. s. de graines de cumin

**1 piment rouge frais, épépiné
   et émincé**

2 gousses d'ail, pilées

1 c. c. de gingembre frais râpé

2 c. s. de sauce tamarin

15 g de ghee (beurre clarifié)

1 oignon moyen, émincé

375 ml de crème de coco

**4 darnes de poisson à chair
   blanche**

1 Faites revenir la noix de coco dans une poêle à feu moyen jusqu'à ce qu'elle soit légèrement dorée ; réservez. Mettez les graines de coriandre dans la poêle ; faites-les dorer à feu moyen 2 minutes environ ; réservez ; laissez refroidir.

2 Mixez la noix de coco, les graines de coriandre, le piment, l'ail, le gingembre et la sauce jusqu'à obtention d'une pâte lisse et homogène.

3 Faites chauffer le ghee dans la poêle ; faites blondir l'oignon 2 minutes à température moyenne ; ajoutez le mélange à base de noix de coco ; laissez chauffer 1 minute à feu moyen.

4 Incorporez la crème de coco ; portez à ébullition. Ajoutez le poisson et laissez mijoter sans couvrir à feu doux pendant 8 minutes environ. Retournez le poisson en milieu de cuisson. Servez avec du riz au jasmin cuit à la vapeur et du piment frais en tranches.

Par portion lipides 31 g ; 480 kcal

Curry kapitan

Pour 6 personnes.

PRÉPARATION 30 MINUTES • CUISSON 45 MINUTES

2 c. s. d'huile végétale
2 oignons moyens, émincés
60 ml d'eau
1,5 kg de poulet, en morceaux
560 ml de lait de coco
250 ml de crème de coco

Pâte épicée

10 piments rouges frais
4 gousses d'ail
3 c. c. de curcuma frais râpé
2 c. c. de galangal frais râpé
**2 c. c. de citronnelle fraîche,
hachée menu**
10 noix de bancoul
1 c. s. de cumin moulu

Roti jala

150 g de farine blanche
375 ml de lait
1 œuf

1 Faites chauffer l'huile dans un wok ou une grande poêle ; faites cuire les oignons, en remuant, pour qu'ils deviennent bien tendres. Ajoutez la pâte épicée et l'eau ; prolongez la cuisson jusqu'à ce que le mélange embaume.

2 Ajoutez le poulet et le lait de coco ; laissez mijoter, à couvert, 20 minutes. Retirez le couvercle ; continuez la cuisson à feu doux, sans couvrir, pendant 30 minutes, en remuant de temps en temps. Incorporez la crème de coco ; servez avec le roti jala.

Pâte épicée Mixez tous les ingrédients jusqu'à obtention d'un mélange homogène.

Roti jala Mélangez le lait et l'œuf dans un bol. Mettez la farine dans un saladier. Ajoutez peu à peu le mélange lait-œuf. Fouettez jusqu'à ce que la pâte soit lisse. Passez-la au-dessus d'un petit bol pour éliminer les grumeaux et la verser plus facilement. Faites chauffer une poêle à feu moyen. Versez 60 ml de pâte dans la poêle en remuant le fond d'avant en arrière pour que la crêpe ait une apparence de dentelle. Faites-la cuire jusqu'à ce qu'elle soit légèrement dorée en dessous et cuite dessus. Déposez-la sur un papier sulfurisé. Laissez reposer 1 minute ; pliez-la en deux, puis de nouveau en deux pour former un triangle. Répétez l'opération avec le reste de la pâte.

Par portion lipides 64,7 g ; 860 kcal

L'ASTUCE DU CHEF

Le curry de poulet et le roti jala peuvent être préparés la veille si vous les conservez couverts et séparément, au réfrigérateur.

Dorades en feuilles de bananier

Pour 4 personnes.

PRÉPARATION 30 MINUTES • CUISSON 30 MINUTES

4 grandes feuilles de bananier

4 petites dorades entières

2 c. s. de gingembre frais, râpé

30 g de citronnelle fraîche, en tranches fines

2 gousses d'ail, pilées

1 c. s. de jus de citron vert

2 c. s. de sauce de soja

60 ml de sauce aux piments douce

1 c. c. d'huile de sésame

80 g de germes de soja, parés

225 g de pousses de bok choy, en fines lanières

2 branches de céleri parées, en tranches fines

4 oignons nouveaux, émincés

1 Coupez chaque feuille de bananier en carré de 35 cm de côté. À l'aide de pinces, plongez ces feuilles l'une après l'autre dans une grande casserole d'eau bouillante ; retirez-les aussitôt. Rincez-les sous l'eau froide et séchez-les avec soin : les feuilles doivent rester tendres et souples.

2 Faites 3 entailles de part et d'autre des poissons. Placez un poisson dans chaque carré de feuille de bananier. Garnissez de gingembre et de citronnelle. Mélangez l'ail, le jus de citron, les sauces et l'huile dans un bol ; arrosez les poissons d'un peu de ce mélange. Repliez les feuilles sur les poissons ; attachez-les avec de la ficelle de cuisine.

3 Faites cuire le poisson en papillotes à four chaud, pendant 30 minutes environ.

4 Mélangez les germes de soja, le bok choy, le céleri et les oignons avec le reste de la sauce. Faites-les cuire sur un gril chauffé et graissé jusqu'à ce qu'ils soient juste tendres. Servez le mélange de légumes avec le poisson.

Par portion lipides 7,6 g ; 221 kcal

Crevettes grillées

Pour 4 personnes.

PRÉPARATION 20 MINUTES • MARINADE 12 HEURES • CUISSON 10 MINUTES

20 grosses crevettes crues
1 oignon moyen, émincé
140 g de yaourt nature
1/2 c. c. de curcuma moulu
1/2 c. c. de piment moulu
1 c. s. de paprika doux
1 c. c. de gingembre frais, râpé
2 gousses d'ail, pilées
1 c. s. de jus de citron

1　Lavez les crevettes ; séchez-les avec du papier absorbant. Ôtez la tête et les pattes des crevettes en laissant la queue et le corps intacts.

2　Mixez l'oignon, le yaourt, le curcuma, le piment, le paprika, le gingembre, l'ail et le jus de citron jusqu'à obtention d'une pâte lisse. Mélangez cette préparation avec les crevettes dans un saladier ; remuez bien. Couvrez ; laissez reposer toute une nuit au réfrigérateur.

3　Faites cuire les crevettes sur un gril ou au barbecue en les badigeonnant de temps en temps de marinade pendant la cuisson.

Par portion　lipides 2,3 g ; 153 kcal

Légumes sautés

Pour 4 personnes.

PRÉPARATION 15 MINUTES • TREMPAGE 20 MINUTES • CUISSON 10 MINUTES

30 g de champignons shiitake, séchés
1 carotte moyenne
2 c. c. d'huile végétale
2 c. c. d'huile de sésame
1 oignon moyen, en tranches fines
2 gousses d'ail, pilées
1 c. c. de gingembre frais, râpé
125 g de petits pois surgelés
150 g de pois mange-tout, en tranches épaisses
1 poivron rouge moyen, en tranches fines
1 poivron jaune moyen, grossièrement coupé
4 oignons nouveaux, grossièrement hachés
225 g de pousses de bambou en boîte, égouttées
1 ¹/2 c. s. de sauce de soja
3 c. c. de sauce aux huîtres
1 ¹/2 c. s. de sauce hoisin
3 c. c. de sauce aux piments douce

1 Mettez les champignons dans un saladier résistant à la chaleur ; couvrez-les d'eau bouillante. Laissez reposer 20 minutes ; égouttez-les. Jetez les tiges ; coupez les chapeaux en lamelles. Coupez la carotte en deux ; détaillez-la en tranches épaisses. Faites-la cuire à l'eau ou à la vapeur jusqu'à ce qu'elle soit juste tendre.

2 Faites chauffer les huiles dans un wok ou une grande poêle ; faites blondir l'oignon, l'ail et le gingembre en remuant. Ajoutez les champignons, la carotte, les petits pois, les pois mange-tout, les poivrons, les oignons nouveaux et les pousses de bambou ; prolongez la cuisson en remuant ; lorsque les légumes sont bien tendres, incorporez les sauces ; continuez à faire cuire quelques instants en mélangeant pour réchauffer le tout.

Par portion lipides 5,7 g ; 150 kcal

Nouilles sautées au poulet caramélisé

Pour 4 personnes.

PRÉPARATION 15 MINUTES • CUISSON 15 MINUTES

400 g de nouilles de blé sèches

2 c. s. d'huile végétale

**4 blancs de poulet,
  en tranches fines**

5 gousses d'ail, pilées

1 c. s. de gingembre frais, râpé

**2 c. s. de citronnelle fraîche,
  hachée menu**

**4 piments rouges frais,
  épépinés et émincés**

60 g de sucre de palme

2 c. s. d'eau

60 ml de sauce aux huîtres

2 c. s. de nuoc-mâm

2 c. s. de concentré de tamarin

60 ml de jus de citron vert

**30 g de coriandre fraîche,
  grossièrement ciselée**

1 Faites cuire les nouilles dans une grande casserole d'eau bouillante sans les couvrir jusqu'à ce qu'elles soient juste tendres ; égouttez. Faites chauffer la moitié de l'huile dans un wok ou une grande poêle ; mettez le poulet à revenir par petites quantités ; lorsqu'il est bien doré, réservez.

2 Ajoutez le reste de l'huile dans le wok ; faites revenir l'ail, le gingembre, la citronnelle et les piments jusqu'à ce que le mélange embaume. Incorporez le sucre et l'eau ; faites cuire en remuant jusqu'à ce que le sucre caramélise.

3 Remettez le poulet dans le wok ; faites cuire jusqu'à ce qu'il soit bien enrobé de caramel. Ajoutez les nouilles, la sauce aux huîtres, le nuoc-mâm, le tamarin et le jus de citron vert. Laissez mijoter pour épaissir la sauce.

4 Juste avant de servir, saupoudrez de coriandre.

Par portion lipides 20 g ; 974 kcal

Encornets au curry

Pour 4 personnes.

PRÉPARATION 15 MINUTES • CUISSON 10 MINUTES

500 g d'encornets
2 c. s. de piment moulu
1 c. c. de curcuma moulu
1 c. s. de concentré de tamarin
2 c. s. d'eau chaude
2 c. s. d'huile végétale
2 oignons blancs moyens, émincés
4 gousses d'ail, pilées
2 c. s. de sauce tomate
1 c. c. de sauce de soja
1 c. s. de nuoc-mâm
1/2 c. c. de sucre
80 ml de jus de citron
2 c. s. d'oignons frits, en bocal

1 Coupez les encornets en rondelles. Mélangez-les avec le piment et le curcuma dans un saladier. Remuez bien. Versez le concentré de tamarin et l'eau dans un bol.

2 Faites chauffer l'huile dans une grande poêle. Faites cuire les encornets en remuant jusqu'à ce qu'ils changent de couleur ; réservez.

3 Faites blondir les oignons et l'ail dans une casserole en remuant. Ajoutez le mélange à base de tamarin, les sauces, le nuoc-mâm et le sucre ; faites cuire 4 minutes en remuant de temps en temps.

4 Remettez les encornets dans la poêle. Ajoutez le jus de citron ; prolongez la cuisson jusqu'à ce que les encornets soient tendres. Garnissez d'oignons frits.

Par portion lipides 11,7 g ; 246 kcal

L'ASTUCE DU CHEF
Vous pouvez préparer cette recette la veille si vous la conservez couverte au réfrigérateur. Servez avec du riz basmati.

Araignées de mer sautées aux piments

Pour 4 personnes.

PRÉPARATION 20 MINUTES • CUISSON 20 MINUTES

4 araignées de mer crues de taille moyenne
1 c. s. d'huile d'arachide
2 piments rouges frais, épépinés et émincés
1 c. s. de gingembre frais, râpé
2 gousses d'ail, pilées
2 c. c. de nuoc-mâm
25 g de sucre de palme, finement haché
60 ml de jus de citron vert
60 ml de vinaigre de riz
60 ml de fumet de poisson
3 oignons nouveaux, en tranches épaisses
25 g de coriandre fraîche

1 Ébouillantez rapidement les araignées pour les tuer, retirez les pinces, puis videz la carapace en jetant l'estomac et tout le tissu fibreux. Coupez l'intérieur en quatre à l'aide d'un fendoir ou d'un couteau robuste.

2 Faites chauffer l'huile dans un wok ou une grande poêle. Mettez les piments, le gingembre, l'ail, le nuoc-mâm, le sucre, le jus de citron vert, le vinaigre et le fumet de poisson ; remuez et laissez cuire jusqu'à ce que le sucre soit dissous.

3 Ajoutez les morceaux d'araignée et les pinces ; faites-les cuire à couvert 15 minutes environ. Incorporez les oignons nouveaux et la coriandre.

Par portion lipides 6,1 g ; 192 kcal

L'ASTUCE DU CHEF
Vous pouvez remplacer l'araignée de mer par du crabe ou par des gambas.

Nouilles de riz sautées

Pour 6 personnes.

PRÉPARATION 15 MINUTES • CUISSON 10 MINUTES

1 kg de nouilles de riz fraîches
500 g de petites crevettes crues
60 ml d'huile d'arachide
**2 blancs de poulet,
    grossièrement hachés**
**4 piments rouges frais, épépinés
    et émincés**
2 gousses d'ail, pilées
2 c. c. de gingembre frais, râpé
2 œufs, légèrement battus
**5 oignons nouveaux,
    en tranches fines**
160 g de germes de soja, parés
1 c. s. de sauce de soja claire
1 c. c. de sauce de soja épaisse
60 ml de sauce de soja brune
1/4 c. c. d'huile de sésame
1 c. c. de sucre brun

1. Les nouilles de riz se présentant en feuilles larges, coupez-les en lanières de 2 cm ; mettez-les dans un saladier. Couvrez-les d'eau chaude ; séparez-les délicatement à la main. Laissez reposer 1 minute ; égouttez.

2. Décortiquez les crevettes en laissant les queues intactes. Coupez-les crevettes en deux.

3. Faites chauffer 1 cuillerée à soupe d'huile d'arachide dans un wok chauffé ou une grande poêle ; faites revenir le poulet avec les piments, l'ail et le gingembre 2 minutes environ. Réservez.

4. Faites chauffer la moitié de l'huile restante dans le wok ; faites sauter les crevettes 2 minutes jusqu'à ce qu'elles changent de couleur. Réservez.

5. Faites cuire les œufs dans le wok avec les oignons nouveaux et les germes de soja. Lorsque l'omelette est bien ferme, réservez.

6. Versez le reste de l'huile dans le wok ; faites sauter les nouilles avec les sauces, l'huile de sésame et le sucre pendant 1 minute. Remettez le poulet, les crevettes et l'omelette dans le wok ; réchauffez le tout et servez.

Par portion lipides 15,2 g ; 401 kcal

Crêpes malaisiennes

Pour 12 galettes.

PRÉPARATION 40 MINUTES • REPOS 2 HEURES • CUISSON 25 MINUTES

450 g de farine
1 c. c. de sucre
1 œuf
180 ml d'eau chaude environ
**100 g de ghee (beurre clarifié),
fondu**

1 Mélangez la farine et le sucre dans un saladier. Ajoutez l'œuf et l'eau afin d'obtenir une pâte molle. Posez la pâte sur une surface légèrement farinée ; pétrissez-la 10 minutes environ jusqu'à ce qu'elle soit lisse et élastique. Couvrez-la de film étirable ; laissez reposer 2 heures.

2 Partagez la pâte en 12 portions égales. Abaissez une portion sur une surface légèrement farinée de manière à obtenir une galette de 18 cm. Badigeonnez cette galette d'un peu de ghee. Roulez-la, puis repliez les extrémités pour qu'elles se rejoignent au milieu. Répétez l'opération avec le reste de la pâte. Couvrez chaque galette de film étirable pour éviter qu'elle ne sèche. Si vous préparez les galettes à l'avance, badigeonnez-les une fois roulées d'un peu de ghee ; couvrez-les de film étirable.

3 Abaissez les galettes roulées sur une surface légèrement farinée en des cercles de 17 cm. Faites-les cuire à feu vif dans une poêle à fond épais graissée avec un peu de ghee jusqu'à ce qu'elles gonflent et dorent de part et d'autre.

Par portion lipides 9,2 g ; 211 kcal

Bœuf rendang

Pour 4 personnes.

PRÉPARATION 20 MINUTES • CUISSON 1 H 45

2 oignons rouges moyens, émincés
4 gousses d'ail, pelées
4 piments rouges frais
1 c. s. de gingembre frais, râpé
1 c. s. de citronnelle fraîche, hachée menu
1 c. c. de curcuma moulu
2 c. c. de coriandre moulue
410 ml de lait de coco
1 kg de bœuf, en dés de 3 cm
1 bâton de cannelle
1 c. s. de concentré de tamarin
8 feuilles de curry
1 c. c. de sucre

1 Mixez les oignons, l'ail, les piments, le gingembre, la citronnelle, le curcuma et la coriandre avec 80 ml de lait de coco jusqu'à obtention d'un mélange homogène.

2 Mettez le bœuf, le mélange à base de lait de coco, la cannelle, le concentré de tamarin et les feuilles de curry dans une casserole ; laissez mijoter 1 h 30 sans couvrir, en remuant de temps en temps, jusqu'à ce que la viande soit tendre.

3 Ajoutez le sucre ; prolongez la cuisson en remuant ; au bout de 15 minutes, le bœuf prend une coloration plus foncée et la sauce a réduit de moitié. Servez aussitôt.

Par portion lipides 31,1 g ; 549 kcal

LES ASTUCES DU CHEF

Ce plat peut être préparé la veille si vous le conservez couvert au réfrigérateur. Il se gardera 3 mois au congélateur.

Poulet satay aux nouilles

Pour 4 personnes.

PRÉPARATION 15 MINUTES • CUISSON 10 MINUTES

2 c. c. de coriandre moulue

2 c. c. de cumin moulu

2 c. c. de curcuma moulu

700 g de filets de poulet, dans la cuisse, grossièrement coupés

250 g de nouilles hokkien

6 oignons nouveaux

150 g de petits épis de maïs

2 c. s. d'huile d'arachide

1 grosse carotte, en tranches fines

2 c. s. de coriandre fraîche, finement ciselée

Sauce satay

130 g de beurre de cacahuètes, avec morceaux

125 ml de crème de coco

125 ml de bouillon de volaille

2 c. s. de sauce aux piments douce

2 c. s. de sauce de soja

1 c. s. de sucre roux

1 c. s. de jus de citron vert

1 Mélangez la coriandre moulue, le cumin et le curcuma dans un saladier. Ajoutez le poulet ; remuez bien pour l'enrober d'épices.

2 Rincez les nouilles sous l'eau chaude ; égouttez-les. Déposez-les dans un saladier ; séparez-les à la fourchette.

3 Coupez les oignons et les épis de maïs en morceaux de 4 cm.

4 Faites chauffer la moitié de l'huile dans un wok ou une grande poêle ; mettez le poulet à revenir par petites quantités ; lorsqu'il est bien doré, réservez.

5 Faites chauffer le reste de l'huile dans le wok ; faites sauter les épis de maïs et la carotte jusqu'à ce qu'ils soient tendres. Remettez le poulet dans le wok avec les nouilles, les oignons nouveaux et la sauce satay ; prolongez la cuisson pour réchauffer le tout. Garnissez de coriandre.

Sauce satay Mélangez les ingrédients ; remuez au fouet.

Par portion lipides 45,6 g ; 658 kcal

L'ASTUCE DU CHEF

Vous pouvez utiliser de la sauce satay toute prête ; on peut aussi remplacer les nouilles hokkien par des nouilles aux œufs ou du riz.

Curry de poisson à la citronnelle

Pour 4 personnes.

PRÉPARATION 15 MINUTES • CUISSON 25 MINUTES

1 kg de filets de poisson blanc, sans arêtes

60 ml d'huile d'arachide

3 gros oignons, en tranches épaisses

4 gousses d'ail, pilées

2 c. s. de gingembre frais, râpé

1 c. c. de curcuma moulu

1 c. s. de citronnelle fraîche, hachée menu

2 c. s. de vinaigre brun

1 c. s. de nuoc-mâm

125 ml d'eau

2 tomates moyennes, grossièrement hachées

2 c. s. de coriandre fraîche, grossièrement hachée

1 Coupez le poisson en lanières. Faites chauffer l'huile dans une poêle ; faites revenir le poisson à feu moyen 1 minute environ en remuant ; lorsqu'il est cuit, réservez.

2 Faites blondir dans la poêle les oignons et l'ail à feu moyen pendant 5 minutes environ.

3. Incorporez le gingembre, le curcuma, la citronnelle, le vinaigre, le nuoc-mâm ; laissez mijoter à feu doux pendant 3 minutes sans couvrir.

4. Ajoutez le poisson et l'eau ; portez à ébullition. Laissez mijoter 5 minutes à feu doux sans couvrir. Incorporez les tomates ; prolongez la cuisson à feu doux jusqu'à ce que le mélange soit bien chaud. Ajoutez la coriandre.

Par portion lipides 21,7 g ; 458 kcal

Brochettes de bœuf et de porc sauce satay

Pour 6 personnes.

PRÉPARATION 25 MINUTES • MARINADE 3 HEURES • CUISSON 20 MINUTES

500 g de filet de bœuf
500 g de filet de porc
4 gousses d'ail, pilées
1 c. c. de cumin moulu
1 c. c. de coriandre moulue
2 c. c. de curcuma moulu
2 c. s. d'huile végétale

Sauce satay

8 oignons nouveaux,
  grossièrement hachés
150 g de cacahuètes grillées
2 c. c. d'huile végétale
1 c. s. de citronnelle fraîche,
  hachée menu
1 gousse d'ail, pilée
1 c. c. de gingembre frais, râpé
1 c. c. de sambal oelek
1 c. c. de cumin moulu
1 c. c. de coriandre moulue
1/2 c. c. de curcuma moulu
250 ml de bouillon de volaille
250 ml de lait de coco
2 c. c. de jus de citron

1 Coupez le bœuf et le porc en lanières de 8 cm de long et de 1,5 cm de large environ. Enfilez les morceaux en les alternant sur 18 brochettes en bambou.

2 Disposez les brochettes sur un plat ; badigeonnez-les avec la moitié de l'huile mélangée à l'ail et aux épices. Couvrez ; placez au moins 3 heures au réfrigérateur.

3 Faites chauffer le reste de l'huile dans une grande poêle. Faites cuire les brochettes, par petites quantités jusqu'à ce qu'elles soient bien dorées et tendres. Servez avec la sauce aux cacahuètes.

Sauce satay Mixez finement les oignons et les cacahuètes. Faites chauffer l'huile dans une casserole ; faites cuire ce mélange avec la citronnelle, l'ail, le gingembre, le sambal oelek et les épices en remuant pendant 2 minutes. Incorporez le bouillon et le lait de coco ; laissez mijoter sans couvrir 5 minutes environ pour que le mélange épaississe légèrement. Ajoutez le jus de citron.

Par portion lipides 34,5 g ; 506 kcal

L'ASTUCE DU CHEF
Faites tremper les brochettes en bambou plusieurs heures ou toute une nuit dans l'eau pour les empêcher de brûler.

Chutney épicé à la tomate

PRÉPARATION 10 MINUTES • CUISSON 15 MINUTES

I c. s. d'huile d'arachide
1/2 c. c. de graines de moutarde noire
2 gousses d'ail, finement hachées
I piment rouge frais, finement haché
I c. s. de gingembre frais, finement haché
I bâton de cannelle
I c. c. de cumin moulu
I c. c. de curcuma moulu
410 g de tomates en boîte
I c. c. de sucre roux
6 feuilles de curry séchées

1 Faites chauffer l'huile dans une petite casserole ; ajoutez les graines de moutarde. Couvrez ; faites-les revenir à feu moyen jusqu'à ce qu'elles commencent à sauter. Ajoutez l'ail, le piment, le gingembre et la cannelle ; prolongez la cuisson de 3 minutes, jusqu'à ce que l'ail soit coloré.

2 Incorporez le cumin et le curcuma ; faites sauter 2 minutes encore. Ajoutez les tomates concassées avec leur jus, le sucre et les feuilles de curry ; portez à ébullition. Laissez mijoter 5 minutes à feu doux sans couvrir, pour que la sauce épaississe. Jetez la cannelle. Versez le chutney dans un bocal chaud stérilisé ; scellez-le pendant qu'il est encore chaud.

Par cuillerée lipides 1,7 g ; 22 kcal

L'ASTUCE DU CHEF
Le chutney se conserve une semaine au réfrigérateur.

Chutney à la noix de coco et à la coriandre fraîche

PRÉPARATION 10 MINUTES

80 ml d'eau bouillante
25 g de noix de coco, râpée
140 g de coriandre fraîche
4 gousses d'ail, finement hachées
I petit oignon, finement haché
I 1/2 c. c. de garam masala
60 ml de jus de citron
2 c. s. de jus de citron vert
I petit piment rouge frais, émincé

1 Versez l'eau sur la noix de coco râpée, dans un bol résistant à la chaleur. Couvrez ; laissez reposer 5 minutes jusqu'à complète absorption du liquide.

2 Mixez la noix de coco, la coriandre, l'ail, l'oignon, le garam masala et les jus de citron. Remettez la préparation dans le bol ; incorporez le piment.

Par cuillerée lipides I g ; 13 kcal

L'ASTUCE DU CHEF
Vous pouvez préparer le chutney la veille et le conserver au réfrigérateur.

Sauce au gingembre et à la citronnelle

PRÉPARATION 10 MINUTES • CUISSON
10 MINUTES

- **125 ml de vinaigre blanc**
- **110 g de sucre**
- **60 ml d'eau**
- **1 tige de citronnelle fraîche,
  en tranches fines**
- **1 morceau de gingembre frais, émincé**
- **2 c. s. de nuoc-mâm**

Mélangez le vinaigre, le sucre, l'eau, la citronnelle et le gingembre dans une casserole ; faites cuire en remuant sans bouillir jusqu'à ce que le sucre soit dissous. Portez à ébullition. Laissez mijoter 7 minutes à feu doux sans couvrir, pour que la sauce épaississe légèrement. Incorporez le nuoc-mâm ; laissez refroidir.

L'ASTUCE DU CHEF
Cette sauce peut être préparée 48 heures à l'avance si vous la conservez couverte au réfrigérateur.

Sambal à la mangue

PRÉPARATION 10 MINUTES • CUISSON
5 MINUTES

- **1 c. c. de pâte de crevettes**
- **1 grosse mangue, pelée**
- **1 piment rouge frais, émincé**
- **1 c. c. de sucre**
- **1/2 c. c. de sauce de soja**

1 Faites cuire à sec la pâte de crevettes dans une poêle antiadhésive jusqu'à ce qu'elle soit sèche et grumeleuse.

2 Coupez la mangue en dés de 1 cm. Mélangez la pâte de crevettes, la mangue, le piment, le sucre et la sauce de soja dans un bol ; remuez bien.

L'ASTUCE DU CHEF
Cette recette peut être préparée la veille ; conservez-la couverte au réfrigérateur.

sauces

L'Indonésie

Citron vert, noix de coco, tamarin et citronnelle donnent à la cuisine indonésienne une note très exotique. Poissons et crustacés dominent (ce qui n'a rien d'étonnant dans un pays composé de milliers d'îles). Les plats, subtilement parfumés, sont généralement servis accompagnés de minuscules coupelles de sambal très épicé.

Soupe aux boulettes de viande

Pour 6 personnes.

PRÉPARATION 20 MINUTES • RÉFRIGÉRATION 30 MINUTES • CUISSON 2 H 15

2 kg d'os de poulet (carcasse, cou, ailes, etc.)

2 oignons moyens, grossièrement hachés

2 branches de céleri parées, grossièrement hachées

2 carottes moyennes, grossièrement hachées

4 l d'eau

1 petit oignon blanc, émincé

2 gousses d'ail, pilées

500 g de veau haché

2 c. s. de ketjap manis

2 c. s. de sauce de soja

80 g de germes de soja, parés

4 oignons nouveaux, émincés

1 Mettez les os de poulet, les oignons, le céleri, les carottes et l'eau dans un faitout ; portez à ébullition. Laissez mijoter 2 heures à feu doux sans couvrir. Passez à travers un tamis garni d'une mousseline au-dessus d'un saladier ; jetez les os et les légumes.

2 Mettez dans un saladier l'oignon blanc, l'ail, le veau, la moitié du ketjap manis et la moitié de la sauce de soja. Mélangez avec les mains et façonnez des boulettes en prélevant des cuillerées à café bien tassées du mélange. Disposez-les sur un plat. Couvrez ; placez 30 minutes au réfrigérateur.

3 Remettez le bouillon dans le faitout. Mélangez le reste du ketjap manis et de la sauce au bouillon ; portez à ébullition. Ajoutez les boulettes, puis laissez mijoter 10 minutes à feu doux en remuant de temps en temps, jusqu'à ce que les boulettes soient cuites.

4 Répartissez la soupe dans les bols de service ; garnissez de germes de soja et d'oignons nouveaux.

Par portion lipides 2,1 g ; 243 kcal

L'astuce du chef

Mettez les boulettes à cuire peu de temps avant de servir pour éviter que la soupe ne devienne trouble.

Tempeh de légumes

Pour 2 personnes.

PRÉPARATION 20 MINUTES • CUISSON 15 MINUTES

4 feuilles de pâtes à rouleaux de printemps

1 blanc d'œuf

Garniture

1 c. s. de beurre de cacahuètes, avec morceaux

60 ml de sauce de soja

200 g de tempeh, grossièrement haché

2 c. c. d'huile végétale

1 petit oignon, finement haché

1 gousse d'ail, pilée

200 g de pousses de bambou en boîte, rincées, égouttées

1 poivron rouge moyen, en tranches fines

1/2 petit chou chinois, en tranches fines

2 oignons nouveaux, en tranches fines

2 c. s. de vin de gingembre vert

1 c. c. de Maïzena

60 ml d'eau

1 Humidifiez des carrés de papier sulfurisé de 30 cm de côté ; garnissez-en le fond et les côtés de deux plats à soufflé. Posez les plats sur une plaque du four.

2 Badigeonnez d'un peu de blanc d'œuf 2 feuilles de pâte pour rouleaux de printemps. Placez-les dans un des plats en les faisant se chevaucher à angle droit et en les laissant déborder sur les côtés. Répétez l'opération pour l'autre plat.

3 Faites cuire 8 minutes à four moyen, jusqu'à ce que les paniers ainsi formés soient légèrement dorés. Retirez-les des plats ; ajoutez la garniture de légumes juste avant de servir.

Garniture Mélangez le beurre de cacahuètes et 2 cuillerées à soupe de sauce de soja dans un bol. Ajoutez le tempeh ; laissez reposer plusieurs heures. Faites chauffer l'huile dans un wok ou une grande poêle. Ajoutez le mélange à base de tempeh et faites-le doré. Réservez. Mettez l'oignon, l'ail, les pousses de bambou et le poivron dans le wok ; faites cuire 1 minute. Ajoutez le chou et les oignons nouveaux ; faites sauter jusqu'à ce qu'ils soient juste flétris. Incorporez le mélange à base de tempeh, le vin, le reste des sauces et la Maïzena mélangée à l'eau. Laissez bouillir jusqu'à épaississement de la sauce.

Par portion lipides 16,2 g ; 346 kcal

L'ASTUCE DU CHEF

Vous pouvez préparer les « paniers » plusieurs heures à l'avance, mais il est préférable de les garnir juste avant de passer à table.

Gado gado

Pour 4 personnes.

PRÉPARATION 1 HEURE • CUISSON 35 MINUTES

2 pommes de terre moyennes,
   en tranches épaisses

2 carottes moyennes,
   en tranches épaisses

150 g de haricots verts,
   grossièrement coupés

600 g de chou vert

huile végétale pour friture

300 g de tofu ferme,
   coupé en dés de 2 cm

2 tomates moyennes,
   coupées en quartiers

2 pépinos, en tranches épaisses

160 g de germes de soja, parés

4 œufs durs, coupés en quatre

Sauce aux cacahuètes

150 g de cacahuètes, grillées

1 c. s. d'huile d'arachide

1 petit oignon, finement haché

1 gousse d'ail, pilée

3 piments rouges frais, épépinés
   et finement hachés

1 c. s. de galangal frais, râpé

1 c. s. de jus de citron vert

1 c. s. de sucre roux

1/2 c. c. de pâte de crevettes

250 ml de lait de coco

1/4 c. c. de concentré de tamarin

1 c. s. de ketjap manis

1 Faites cuire les pommes de terre, les carottes et les haricots séparément à l'eau ou à la vapeur. Les pommes de terre doivent être tendres, les haricots et les carottes légèrement croquants.

2 Pendant ce temps, plongez les feuilles de chou dans une casserole d'eau bouillante ; retirez-les et passez-les rapidement sous l'eau froide. Égouttez. Découpez les feuilles de chou en tranches fines.

3 Faites chauffer l'huile dans une casserole ; faites frire le tofu, par petites quantités, jusqu'à ce qu'il soit doré. Égouttez-le sur du papier absorbant.

4 Disposez les pommes de terre, les carottes, les haricots, le chou, le tofu, les tomates, les concombres, les germes de soja et les œufs séparément dans un plat de service ; servez avec la sauce aux cacahuètes.

Sauce aux cacahuètes Mixez grossièrement les cacahuètes. Faites chauffer l'huile dans une casserole ; faites dorer l'oignon avec l'ail et le piment en remuant. Ajoutez les cacahuètes et les autres ingrédients. Portez à ébullition. Laissez mijoter 5 minutes à feu doux, jusqu'à ce que la sauce épaississe ; laissez refroidir 10 minutes. Versez la sauce dans un bol ; servez avec les légumes.

Par portion lipides 50, 4 g ; 737 kcal

L'ASTUCE DU CHEF
Gado gado se traduit littéralement par « méli-mélo », ce qui explique la manière décontractée avec laquelle les Indonésiens mangent ce plat. Chaque convive fait son choix parmi l'assortiment de légumes présenté sur la table, puis les mélange avant de les recouvrir de sauce. Le gado gado se mange froid ou tiède.

Soupe de poulet au maïs

Pour 6 personnes.

PRÉPARATION 10 MINUTES • CUISSON 20 MINUTES

2 c. s. d'huile d'arachide

340 g de blancs de poulet

1 oignon rouge moyen, émincé

1 c. s. de farine blanche

1,5 l de bouillon de volaille

500 ml de jus de tomate

420 g de grains de maïs en boîte, égouttés

2 piments rouges frais, épépinés et finement hachés

30 g de coriandre fraîche

1 Faites chauffer la moitié de l'huile dans une casserole. Faites saisir le poulet ; lorsqu'il est bien doré et cuit à point, laissez-le refroidir et détaillez-le en petits morceaux.

2 Faites chauffer le reste de l'huile dans la poêle ; faites blondir l'oignon en remuant. Ajoutez la farine ; prolongez la cuisson en remuant jusqu'à ébullition du mélange qui doit épaissir. Incorporez peu à peu le bouillon et le jus de tomate ; continuez à faire cuire en remuant jusqu'à ébullition.

3 Ajoutez le poulet, le maïs et les piments ; faites réchauffer le tout. Incorporez la coriandre juste avant de servir.

Par portion lipides 8,5 g ; 252 kcal

L'ASTUCE DU CHEF

Vous pouvez remplacer les blancs de poulet par du poulet au barbecue acheté tout prêt (épiceries asiatiques). Jetez la peau ; éliminez l'excédent de graisse et les os avant de découper la viande en lanières.

Encornets à l'ail et aux piments

Pour 4 personnes.

PRÉPARATION 20 MINUTES • MARINADE 3 HEURES • CUISSON 15 MINUTES

1 kg d'encornets
2 c. c. d'huile d'arachide
1 piment rouge frais, émincé

Pâte de piments

2 c. s. d'huile d'arachide
4 gousses d'ail, finement hachées
4 piments rouges frais,
  finement hachés
1 c. s. de gingembre frais, râpé
1 c. s. de vinaigre blanc
1 c. s. de miel

1 Coupez les encornets en deux. Entaillez la surface intérieure en croisillons ; détaillez-les en morceaux de 5 cm. Mélangez les encornets avec la pâte de piments dans un saladier. Couvrez ; placez au moins 3 heures au réfrigérateur.

2 Égouttez les encornets au-dessus du saladier ; réservez la marinade. Faites chauffer l'huile dans un wok ou une grande poêle. Mettez les encornets à revenir par petites quantités, jusqu'à ce qu'ils soient tendres et bien dorés. Réservez. Versez dans le wok la marinade ; portez à ébullition. Laissez mijoter sans couvrir à feu doux jusqu'à ce que le mélange forme un glacis épais. Remettez les encornets dans le wok ; remuez. Présentez-les sur des lanières de chou vert ; garnissez de piments rouges.

Pâte de piments Mixez tous les ingrédients jusqu'à obtention d'un mélange homogène.

Par portion lipides 14,5 g ; 324 kcal

Riz sauté à l'indonésienne

Pour 6 personnes.

PRÉPARATION 15 MINUTES • CUISSON 20 MINUTES

10 g de beurre
6 œufs
1 c. s. d'huile d'arachide
1 gousse d'ail, pilée
1 piment rouge frais, finement haché
4 oignons nouveaux, émincés
150 g de blancs de poulet, hachés
150 g de petits champignons de Paris, émincés
150 g de porc au barbecue chinois, en tranches fines
1 petite carotte, en fines rondelles
16 crevettes moyennes cuites, décortiquées
600 g de riz au jasmin cuit
6 feuilles d'épinards, en fines lanières
1 c. s. de sauce de soja
1 c. s. de sauce tomate
1 c. c. de paprika fort

1 Faites chauffer le beurre dans un wok ou une grande poêle ; faites cuire les œufs jusqu'à ce que le blanc soit ferme. Réservez.

2 Faites chauffer l'huile dans le wok ; faites blondir l'ail, le piment et les oignons nouveaux. Ajoutez le poulet ; faites-le cuire en remuant quelques instants.

3 Ajoutez les champignons, le porc, la carotte, les crevettes, le riz et les épinards ; prolongez la cuisson en remuant pour réchauffer le tout. Incorporez les sauces et le paprika. Garnissez avec les œufs.

Par portion lipides 12,5 g ; 357 kcal

L'ASTUCE DU CHEF
Ce plat peut être préparé la veille si vous le conservez couvert au réfrigérateur.

Salade fraîcheur à la sauce satay

Pour 4 personnes.

PRÉPARATION 15 MINUTES

2 carottes moyennes
1 concombre, en tranches fines
240 g de germes de soja, parés
1 c. s. de coriandre fraîche, ciselée

Sauce satay
85 g de beurre de cacahuètes lisse
1 gousse d'ail, pilée
1 c. c. de sambal oelek
1 c. s. de sauce de soja
125 ml de lait de coco
2 c. s. d'eau chaude

À l'aide d'un économe, coupez les carottes en fines lanières. Mélangez-les délicatement avec les autres ingrédients dans un saladier. Nappez de sauce satay.

Sauce satay Mélangez le beurre de cacahuètes, l'ail, le sambal oelek, la sauce de soja, le lait de coco dans un bol. Juste avant de servir, ajoutez l'eau chaude.

Par portion lipides 17,5 g ; 231 kcal

L'ASTUCE DU CHEF
La sauce peut être préparée 48 heures à l'avance si vous la conservez couverte au réfrigérateur.

Poulet caramélisé

Pour 4 personnes.

PRÉPARATION 20 MINUTES • CUISSON 20 MINUTES

**65 g de sucre de palme,
  finement haché**
1 gousse d'ail, pilée
1 c. s. de jus de citron vert
1 c. s. de nuoc-mâm
2 c. c. de sambal oelek
750 g de blancs de poulet
6 oignons nouveaux
1 grosse carotte
2 petits poivrons verts
420 g de nouilles fraîches aux œufs

Vinaigrette aux piments
2 c. s. d'huile d'arachide
2 c. s. de jus de citron vert
2 c. s. de sauce aux piments douce
1 c. s. de nuoc-mâm

1 Faites chauffer le sucre, l'ail, le jus de citron vert, le nuoc-mâm et le sambal oelek à feu doux dans une casserole en remuant, jusqu'à ce que le sucre soit dissous. Laissez mijoter sans couvrir 3 minutes environ, pour que le mélange commence à caraméliser.

2 Ajoutez le poulet ; faites cuire à feu doux sans couvrir en le retournant de temps en temps. Lorsqu'il est caramélisé, réservez. Laissez refroidir 10 minutes. Coupez le poulet en tranches fines.

3 Pendant ce temps, coupez les oignons en tronçons de 5 cm et détaillez-les en fines lanières. Coupez la carotte en allumettes. Partagez les poivrons en quatre et détaillez-les en fines lanières. Faites cuire séparément la carotte et le poivron à l'eau ou à la vapeur jusqu'à ce qu'ils soient juste tendres. Égouttez.

4 Mettez les nouilles dans un saladier résistant à la chaleur ; couvrez-les d'eau bouillante. Laissez reposer 5 minutes, puis égouttez.

5 Mélangez les nouilles, le poulet, les oignons, la carotte et le poivron dans un saladier avec la vinaigrette.

Vinaigrette aux piments douce Mélangez les ingrédients dans un bocal à couvercle ; secouez bien.

Par portion lipides 18,5 g ; 554 kcal

L'ASTUCE DU CHEF
Vous pouvez remplacer le sucre de palme par 50 g de sucre roux.

Sambal d'aubergines et de crevettes

Pour 8 personnes.

PRÉPARATION 15 MINUTES • CUISSON 20 MINUTES

40 g de crevettes séchées
1 oignon moyen, émincé
2 oignons nouveaux, finement hachés
2 gousses d'ail, pilées
2 c. c. de piment moulu
2 c. c. de vinaigre blanc
2 c. c. de sucre
60 ml d'eau
1 c. s. d'huile végétale
2 c. c. d'huile de sésame
2 aubergines moyennes
huile végétale pour la friture

1   Mettez les crevettes dans un bol résistant à la chaleur ; couvrez-les d'eau bouillante. Laissez reposer 10 minutes environ jusqu'à ce qu'elles soient tendres. Mixez finement les crevettes, l'oignon, les oignons nouveaux, l'ail, le piment, le vinaigre, le sucre et l'eau.

2   Faites chauffer l'huile végétale et l'huile de sésame dans une poêle. Faites cuire le mélange à base de crevettes 2 minutes environ jusqu'à ce qu'il embaume.

3   Coupez les aubergines en tranches de 1 cm ; faites chauffer l'huile dans une casserole et faites frire les aubergines par petites quantités ; lorsqu'elles sont légèrement dorées, égouttez-les sur du papier absorbant. Garnissez les tranches d'aubergine de mélange à base de crevettes.

Par portion lipides 7,8 g ; 98 kcal

Coques au lait de coco

Pour 4 personnes.

PRÉPARATION 15 MINUTES • CUISSON 10 MINUTES

1 c. s. d'huile d'arachide

**1 oignon moyen,
   grossièrement haché**

1 c. s. de gingembre frais, râpé

2 gousses d'ail, pilées

**1 c. s. de citronnelle fraîche,
   finement hachée**

2 c. c. de cumin moulu

2 c. c. de coriandre moulue

1 c. c. de curcuma moulu

1 kg de coques, parées

2 c. s. de jus de citron vert

2 c. c. de nuoc-mâm

410 ml de lait de coco

2 c. c. de sucre roux

**500 g de choy sum,
   grossièrement haché**

2 c. s. de coriandre fraîche

1 Faites chauffer l'huile dans un wok ou une grande poêle ; faites revenir l'oignon, l'ail, le gingembre, la citronnelle et les épices jusqu'à ce que le mélange embaume.

2 Ajoutez les coques, le jus de citron vert, le nuoc-mâm, le lait de coco et le sucre. Faites chauffer jusqu'à ce que les coquillages s'ouvrent. Jetez tous ceux qui restent fermés.

3 Incorporez le choy sum ; prolongez la cuisson jusqu'à ce que les feuilles se flétrissent. Garnissez de coriandre et servez.

Par portion lipides 9,6 g ; 153 kcal

L'ASTUCE DU CHEF

Les coques peuvent être remplacées par des moules ou des clams.

Pommes de terre et épinards aux épices

Pour 4 personnes.

PRÉPARATION 10 MINUTES • CUISSON 20 MINUTES

40 g de ghee (beurre clarifié)
2 c. c. de gingembre frais râpé
1 c. c. de curcuma moulu
1 c. c. de garam masala
1 c. c. de piment moulu
4 pommes de terres moyennes,
  non pelées, grossièrement
  coupées
250 ml d'eau
650 g d'épinards

1 Faites chauffer le ghee dans un wok ou une grande poêle ; faites revenir le gingembre, le curcuma, le garam masala et le piment en remuant jusqu'à ce que le mélange embaume. Ajoutez les pommes de terre ; prolongez la cuisson pendant 1 minute en remuant.

2 Versez l'eau ; laissez mijoter sans couvrir 15 minutes environ. Incorporez les épinards ; couvrez et faites cuire 2 minutes supplémentaires.

Par portion lipides 10, 8 g ; 247 kcal

Curry d'agneau à la crème de coco

Pour 6 personnes.

PRÉPARATION 15 MINUTES • REPOS 30 MINUTES • CUISSON 1 HEURE

1 kg de filet d'agneau, grossièrement coupé
2 c. s. de grains de poivre vert en boîte, égouttés et broyés
farine
2 c. s. d'huile d'olive
60 g de ghee (beurre clarifié)
2 oignons nouveaux, finement hachés
2 gousses d'ail, pilées
2 c. s. de citronnelle fraîche, grossièrement hachée
2 c. c. de coriandre fraîche, grossièrement hachée
1 c. c. de gingembre frais, râpé
1/4 c. c. de coriandre moulue
1/4 c. c. de cumin moulu
1/4 c. c. de muscade moulue
1 c. c. de zeste de citron, râpé
2 piments verts, finement hachés
410 ml de crème de coco
2 c. c. de sucre
1 c. c. de nuoc-mâm
100 g de cacahuètes grillées, grossièrement hachées

1 Mélangez l'agneau et les grains de poivre dans un saladier ; laissez reposer 30 minutes. Enrobez l'agneau de farine ; secouez les morceaux pour éliminer l'excédent.

2 Faites chauffer l'huile dans une grande casserole ; faites saisir la viande à feu vif, par petites quantités ; lorsqu'elle est bien dorée de tous les côtés, égouttez-la sur du papier absorbant. Jetez l'huile.

3 Faites fondre le ghee dans la casserole ; ajoutez les oignons, l'ail, la citronnelle, la coriandre fraîche, le gingembre, les épices, le zeste de citron et le piment ; faites revenir en remuant 3 minutes environ à feu moyen. Mixez jusqu'à obtention d'une pâte homogène.

4 Remettez l'agneau dans la casserole ; incorporez le mélange d'épices et la crème de coco. Couvrez et laissez cuire à feu doux 45 minutes environ. Ajoutez le sucre, le nuoc-mâm et les cacahuètes. Réchauffez le mélange sans faire bouillir.

Par portion lipides 43,8 g ; 587 kcal

L'ASTUCE DU CHEF
Vous pouvez préparer ce plat la veille si vous le conservez couvert au réfrigérateur. Il est également possible de le congeler pendant 3 mois.

Bœuf satay à la citronnelle

Pour 12 brochettes.

PRÉPARATION 15 MINUTES • MARINADE 3 HEURES • CUISSON 20 MINUTES

180 ml de crème de coco

**1 c. c. de beurre de cacahuètes,
avec morceaux**

2 c. c. de sambal oelek

**2 c. s. de citronnelle fraîche,
grossièrement hachée**

2 gousses d'ail, pilées

1 c. c. de coriandre moulue

1 c. c. de curcuma moulu

**750 g de rumsteck, coupés
en dés de 2 cm**

1 Mélangez la crème de coco, le beurre de cacahuètes, le sambal oelek, la citron-nelle, l'ail, la coriandre et le curcuma dans un saladier. Ajoutez le bœuf ; remuez bien. Couvrez et laissez mariner au moins 3 heures au réfrigérateur.

2 Retirez le bœuf de la marinade ; enfilez les morceaux sur 12 brochettes en bambou. Faites-les griller ou cuire au barbecue jusqu'à ce que le bœuf soit tendre en les badigeonnant de marinade en cours de cuisson.

Par portion lipides 6,7 g ; 120 kcal

L'ASTUCE DU CHEF

Faites tremper les brochettes en bambou dans l'eau au moins 1 heure avant emploi.

Nouilles sautées au porc

Pour 4 personnes.

PRÉPARATION 25 MINUTES • CUISSON 30 MINUTES

500 g de nouilles de blé fraîches

huile végétale pour friture

1 petit oignon blanc, émincé

2 c. s. de cacahuètes

2 c. s. d'huile d'arachide

**500 g de filet de porc,
en tranches fines**

5 gousses d'ail, pilées

2 c. s. de gingembre frais râpé

**3 piments rouges frais, épépinés
et finement hachés**

**10 châtaignes d'eau fraîches,
en tranches fines**

**180 g de haricots verts,
en tranches épaisses**

**2 branches de céleri parées,
en tranches fines**

**2 pousses de bok choy,
grossièrement hachées**

80 ml de ketjap manis

2 c. s. de sauce aux piments douce

1 c. s. de concentré de tamarin

80 ml de bouillon de légumes

1 c. c. d'huile de sésame

1 Faites cuire les nouilles dans une grande casserole d'eau bouillante, sans couvrir, jusqu'à ce qu'elles soient tendres ; égouttez-les.

2 Faites chauffer l'huile végétale dans une casserole. Faites frire l'oignon blanc ; lorsqu'il est bien doré, égouttez-le sur du papier absorbant. Faites revenir les cacahuètes ; lorsqu'elles sont légèrement dorées, égouttez-les sur du papier absorbant. Mixez finement l'oignon et les cacahuètes.

3 Faites chauffer la moitié de l'huile dans un wok ou une grande poêle ; faites revenir le porc ; lorsqu'il est doré et cuit à point, réservez.

4 Faites chauffer l'huile d'arachide restante dans le wok ; faites sauter l'ail, le gingembre et le piment jusqu'à ce que le mélange embaume. Ajoutez les châtaignes d'eau et les légumes. Prolongez la cuisson de 2 minutes.

5 Remettez le porc dans le wok avec les nouilles, le ketjap manis, la sauce aux piments, le tamarin, le bouillon et l'huile de sésame ; faites réchauffer le tout. Présentez garni du mélange d'oignons et de cacahuètes.

Par portion lipides 19, 5 g ; 500 kcal

Rougets au poivre et au citron vert

Pour 4 personnes.

PRÉPARATION 10 MINUTES • MARINADE 3 HEURES • CUISSON 10 MINUTES

4 rougets moyens
2 citrons verts moyens
2 c. s. de grains de poivre vert en bocal, égouttés et broyés
1 c. s. de graines de coriandre
1 gousse d'ail, pilée
1 oignon rouge moyen, émincé
160 ml de jus de citron vert
80 ml de sauce aux huîtres

1 Faites 3 entailles de part et d'autre de chaque poisson. À l'aide d'un économe, pelez les citrons verts. Détaillez le zeste en fines lamelles. Dans un bol, mélangez le zeste de citron, les grains de poivre, les graines de coriandre et l'ail. Frottez les poissons avec ce mélange. Mettez-les dans un plat peu profond. Garnissez d'oignon, de jus de citron et de sauce aux huîtres. Couvrez ; placez 3 heures au réfrigérateur en retournant les poissons une fois.

2 Retirez les poissons de la marinade ; réservez celle-ci. Faites-les cuire dans une poêle graissée et chauffée en les retournant une fois en cours de cuisson. Ajoutez la marinade réservée ; portez à ébullition. Servez les poissons nappés de sauce.

Par portion lipides 6,2 g ; 175 kcal

Nouilles sautées au poulet et aux amandes

Pour 4 personnes.

PRÉPARATION 10 MINUTES • MARINADE 3 HEURES • CUISSON 10 MINUTES

700 g de blancs de poulet,
    en tranches épaisses
2 gousses d'ail, hachées
60 ml de sauce hoisin
60 ml de ketjap manis
2 c. s. d'huile d'arachide
80 g d'amandes mondées
4 oignons nouveaux, émincés
1 oignon moyen, en tranches fines
420 g de nouilles fraîches aux œufs
200 g de choy sum,
    grossièrement haché
250 ml de bouillon de volaille

1 Mélangez le poulet, l'ail, 2 cuillerées à soupe de sauce hoisin et 1 cuillerée à soupe de ketjap manis dans un saladier. Couvrez ; placez au moins 3 heures au réfrigérateur.

2 Faites chauffer 2 cuillerées à café d'huile dans un wok ou une grande poêle ; faites dorer les amandes. Réservez.

3 Versez le reste de l'huile dans le wok. Faites revenir par petites quantités le poulet, les oignons nouveaux et l'oignon. Lorsque la viande est cuite, réservez.

4 Mettez les nouilles dans un saladier résistant à la chaleur ; couvrez d'eau bouillante. Laissez reposer 5 minutes, jusqu'à ce qu'elles soient tendres ; égouttez.

5 Remettez le poulet dans le wok avec les amandes, les nouilles, le choy sum, le bouillon et le reste de la sauce hoisin et du ketjap manis. Faites sauter jusqu'à ce que le choy sum soit juste flétri.

Par portion lipides 29,4 g ; 573 kcal

Salade de bœuf sauce satay

Pour 6 personnes.

PRÉPARATION 15 MINUTES • CUISSON 25 MINUTES

750 g de filet de bœuf

2 carottes moyennes

240 g de germes de soja, parés

100 g de germes de pois mange-tout

1 oignon rouge moyen, émincé

30 g de coriandre fraîche

50 g de cacahuètes grillées, grossièrement hachées

Sauce satay

2 c. s. de sucre roux

2 c. s. de coriandre fraîche, grossièrement hachée

60 ml de sauce aux piments douce

130 g de beurre de cacahuètes, avec morceaux

2 gousses d'ail, pilées

250 ml de lait de coco

180 ml d'eau

1 Faites cuire le bœuf sur un gril graissé et chauffé (ou au barbecue) 20 minutes environ. Lorsqu'il est bien doré et cuit à votre convenance laissez-le reposer 10 minutes avant de le découper en tranches fines.

2 À l'aide d'un économe, découpez les carottes en longues lanières. Mélangez-les avec le bœuf, les germes de soja, les germes de mange-tout et l'oignon dans un saladier. Arrosez de sauce satay. Garnissez de coriandre et de cacahuètes.

Sauce satay Mélangez les ingrédients dans une casserole. Faites mijoter en remuant 4 minutes environ jusqu'à ce que la sauce épaississe ; laissez refroidir 5 minutes.

Par portion lipides 30,8 g ; 506 kcal

Crevettes au tamarin

Pour 4 personnes.

PRÉPARATION 20 MINUTES • CUISSON 15 MINUTES

1 kg de grosses crevettes crues, décortiquées
2 c. s. d'huile végétale
1 gousse d'ail, pilée
2 c. c. de gingembre frais, râpé
2 c. s. de citronnelle fraîche, finement hachée
4 oignons nouveaux, finement hachés
1 poivron rouge moyen, en tranches fines
2 c. s. de concentré de tamarin
125 ml de bouillon de volaille
2 c. c. de Maïzena
1 c. s. d'eau

1 Entaillez le dos des crevettes presque complètement, puis ouvrez-les en pressant délicatement.

2 Faites chauffer l'huile dans un wok ou une grande poêle ; faites revenir l'ail, le gingembre, la citronnelle et les oignons à feu vif pendant 2 minutes. Ajoutez les poivrons et les crevettes ; prolongez la cuisson à feu vif pendant 2 minutes environ, jusqu'à ce que les crevettes changent de couleur.

3 Incorporez le tamarin mélangé au bouillon ; laisser chauffer 1 minute. Délayez la Maïzena avec l'eau ; ajoutez au contenu du wok. Faites cuire jusqu'à ébullition de la sauce qui doit légèrement épaissir. Servez sur les nouilles chaudes.

Par portion lipides 10,1 g ; 217 kcal

Crevettes frites aux nouilles

Pour 4 personnes.

PRÉPARATION 15 MINUTES • CUISSON 10 MINUTES

500 g de crevettes moyennes crues
200 g de nouilles de riz sèches
1 gousse d'ail, pilée
2 c. s. de sauce de soja
2 c. s. de nuoc-mâm
1 c. c. de sambal oelek
80 g de germes de soja, parés
30 g de coriandre fraîche

1 Décortiquez les crevettes en laissant les queues intactes.

2 Mettez les nouilles dans un saladier résistant à la chaleur. Couvrez-les d'eau bouillante. Laissez reposer jusqu'à ce qu'elles soient tendres. Égouttez.

3 Faites revenir les crevettes avec l'ail dans un wok chauffé et graissé ou une grande poêle jusqu'à ce qu'elles changent de couleur. Ajoutez les nouilles, la sauce de soja, le nuoc-mâm et le sambal oelek. Réchauffez le tout à feu doux. Incorporez les germes de soja et la coriandre.

Par portion lipides 1 g ; 192 kcal

Saumon croustillant à la pâte de citronnelle

Pour 6 personnes.

PRÉPARATION 15 MINUTES • CUISSON 7 MINUTES

35 g de cacahuètes grillées

2 piments rouges frais, épépinés et grossièrement hachés

1 tige de citronnelle fraîche, grossièrement hachée

40 g de coriandre fraîche

80 ml d'huile d'arachide

1 c. s. de jus de citron

huile végétale pour la friture

6 darnes de saumon

1 Mixez les cacahuètes, les piments, la citronnelle, la coriandre, l'huile d'arachide et le jus de citron jusqu'à obtention d'une pâte lisse. Couvrez et conservez au réfrigérateur jusqu'au moment de servir.

2 Faites chauffer assez d'huile végétale pour couvrir la base d'une grande poêle ; faites frire le poisson des deux côtés, sans couvrir. Égouttez-le sur du papier absorbant.

3 Servez le poisson avec la pâte de citronnelle ; accompagnez-le de pommes de terre à l'eau et d'une salade croquante.

Par portion lipides 39,4 g ; 480 kcal

Tofu frit aux cacahuètes

Pour 6 personnes.

PRÉPARATION 20 MINUTES • ÉGOUTTAGE 4 HEURES • CUISSON 20 MINUTES

600 g de tofu ferme, égoutté
huile végétale pour la friture

Sauce aux cacahuètes
1 racine de coriandre fraîche, finement hachée
1 piment rouge frais, épépiné et finement haché
2 gousses d'ail, pilées
1 c. s. de sucre
2 c. s. de vinaigre de riz
90 g de beurre de cacahuètes, avec morceaux
125 ml de lait de coco

1 Enveloppez le tofu dans trois feuilles de papier absorbant. Posez une assiette dessus. Laissez reposer 4 heures.

2 Coupez le tofu en dés de 2 cm. Faites chauffer l'huile dans un wok ou une grande poêle et faites frire le tofu par petites quantités ; lorsqu'il est bien doré, égouttez-le sur du papier absorbant. Saupoudrez-le de coriandre fraîche et de piments. Servez chaud avec la sauce aux cacahuètes.

Sauce aux cacahuètes Mélangez la racine de coriandre, le piment, l'ail, le sucre et le vinaigre dans une casserole. Faites chauffer en remuant à feu moyen pour dissoudre le sucre. Ajoutez le beurre de cacahuètes et le lait de coco. Prolongez la cuisson jusqu'à ce que la sauce soit chaude.

Par portion lipides 25 g ; 321 kcal

Poulet aux cacahuètes

Pour 6 personnes.

PRÉPARATION 20 MINUTES • MARINADE 3 HEURES • CUISSON 15 MINUTES

700 g de blancs de poulet,
en tranches fines

4 piments rouges frais, épépinés
et finement hachés

2 c. s. de gingembre frais, râpé

4 gousses d'ail, pilées

6 feuilles de citronnier kaffir,
en lanières

400 g de pois mange-tout

60 ml d'huile d'arachide

2 oignons rouges moyens, émincés

150 g de farine

2 œufs, légèrement battus

300 g de cacahuètes,
finement hachées

30 g de citronnelle fraîche,
finement hachée

60 ml de bouillon de volaille

2 c. s. de sauce aux piments douce

1 Mélangez le poulet, les piments, le gingembre, l'ail et les feuilles de citronnier dans un saladier. Couvrez ; placez au moins 3 heures au réfrigérateur.

2 Faites cuire les pois mange-tout à l'eau ou à la vapeur jusqu'à ce qu'ils soient juste tendres ; égouttez-les.

3 Faites chauffer 1 cuillerée à soupe d'huile dans un wok ou une grande poêle. Faites revenir les oignons, par petites quantités ; lorsqu'ils sont bien dorés, réservez.

4 Égouttez le poulet et jetez la marinade. Roulez-le dans la farine ; secouez pour éliminer l'excédent. Plongez-le dans l'œuf, puis dans le mélange de cacahuètes et de citronnelle en pressant avec la main.

5 Faites chauffer le reste de l'huile dans le wok et faites revenir le poulet par petites quantités ; lorsqu'il est doré et cuit à point, égouttez-le sur du papier absorbant. Couvrez pour le garder au chaud. Essuyez le wok avec du papier absorbant.

6 Remettez l'oignon dans le wok avec le bouillon mélangé à la sauce aux piments. Portez à ébullition ; ajoutez les pois mange-tout. Servez avec le poulet.

Par portion lipides 41,6 g ; 678 kcal

Brochettes de poisson au citron vert et à la noix de coco

Pour 12 brochettes.

PRÉPARATION 20 MINUTES • MARINADE 3 HEURES • CUISSON 20 MINUTES

500 g de thon

500 g de saumon

500 g d'espadon

**90 g de sucre de palme,
finement haché**

410 ml de crème de coco

2 c. s. de zeste de citron kaffir, râpé

4 c. s. de jus de citron kaffir

**2 piments rouges frais,
épépinés et émincés**

1 Ôtez la peau des poissons ; coupez-les en cubes de 4 cm. Mettez le sucre et la crème de coco dans une casserole. Faites chauffer sans bouillir pour dissoudre le sucre. Versez ce mélange dans un saladier avec le zeste et le jus de citron, les piments et le poisson. Couvrez et réservez au moins 3 heures au réfrigérateur.

2 Égouttez le poisson ; réservez la marinade. Enfilez les morceaux de poisson en les alternant sur 12 brochettes ; faites cuire sur un gril chauffé et graissé (ou au barbecue), sans couvrir, jusqu'à ce que le poisson soit légèrement doré et juste cuit. Faites mijoter la marinade 1 minute, jusqu'à ce qu'elle ait légèrement épaissi. Servez les brochettes avec la marinade.

Par portion lipides 13,2 g ; 237 kcal

L'ASTUCE DU CHEF
Faites tremper les brochettes 1 heure environ dans l'eau pour les empêcher de brûler.

Pâte laksa

Pour 250 ml.

PRÉPARATION 10 MINUTES • CUISSON 5 MINUTES

2 c. c. de pâte de crevettes
1 gros oignon, finement haché
4 gousses d'ail, finement hachées
1 c. c. de zeste de citron vert, râpé
1 c. c. de curcuma moulu
1 c. s. de citronnelle fraîche, hachée
1 c. s. de gingembre frais, râpé
1 c. s. de menthe vietnamienne, hachée
3 piments rouges frais
8 noix de bansoul
2 c. c. de coriandre moulue
2 c. s. de coriandre fraîche, ciselée
180 ml d'huile végétale

1 Faites cuire la pâte de crevettes dans une casserole jusqu'à ce qu'elle soit bien sèche.

2 Mixez la pâte de crevettes, l'oignon, l'ail, le zeste de citron, le curcuma, la citronnelle, le gingembre, la menthe, les piments, les noix, la coriandre moulue, la coriandre fraîche avec 120 ml d'huile, jusqu'à obtention d'un mélange homogène.

3 Transvasez ce mélange dans des bocaux stérilisés chauds. Ajoutez le reste de l'huile en laissant 1 cm entre l'huile et le haut du bocal ; scellez.

Par cuillerée lipides 15,2 g ; 143 kcal

L'ASTUCE DU CHEF
Cette pâte peut se garder 1 mois au réfrigérateur.

Pâte de curry rouge

Pour 200 ml.

PRÉPARATION 15 MINUTES

1 petit oignon rouge, haché
3 gousses d'ail, coupées en deux
2 c. s. de citronnelle fraîche, hachée
3 c. c. de racine de coriandre fraîche, grossièrement hachée
2 c. c. de piment moulu
1 c. c. de galangal moulu
1 c. c. de zeste de citron vert, râpé
1/2 c. c. de pâte de crevettes
1 feuille de citronnier kaffir séchée
3 c. c. de paprika fort
1/2 c. c. de curcuma moulu
1/2 c. c. de graines de cumin
3 c. c. d'huile d'arachide

Mixez tous les ingrédients jusqu'à obtention d'une pâte lisse. Transvasez-la dans un bocal stérilisé chaud ; scellez pendant que la pâte est encore chaude.

Par cuillerée lipides 5,3 g ; 69 kcal

L'ASTUCE DU CHEF
Cette pâte peut être préparée 1 mois à l'avance si vous la gardez au réfrigérateur.

Pâte de curry verte

Pour 200 ml.

PRÉPARATION 15 MINUTES

**3 piments verts frais, épépinés et coupés
en tranches épaisses**

3 oignons nouveaux, hachés

2 gousses d'ail, coupées en deux

30 g de coriandre fraîche, hachée

30 g de citronnelle fraîche, hachée

60 ml d'huile d'arachide

2 c. s. d'eau

1 c. c. de pâte de crevettes

1/2 c. c. de cumin moulu

**225 g de pousses de bambou en boîte,
égouttées et coupées en tranches
épaisses**

Mixez tous les ingrédients jusqu'à obtention
d'une pâte lisse. Transvasez-la dans un bocal
stérilisé chaud ; scellez pendant que la pâte est
encore chaude.

Par cuillerée lipides 6,9 g ; 66 kcal

L'ASTUCE DU CHEF
Vous pouvez préparer cette pâte 1 mois à
l'avance si vous la gardez au réfrigérateur.

Garam masala

Pour 100 g.

PRÉPARATION 10 MINUTES • CUISSON
2 MINUTES

2 c. s. de graines de cumin

1 c. s. de grains de poivre noir

2 c. c. de clous de girofle

2 c. s. de graines de coriandre

2 c. c. de graines de carvi

1 1/2 c. c. de graines de cardamome

1 bâton de cannelle

1/2 noix de muscade, broyée

Mélangez les ingrédients dans une petite
casserole ; faites cuire à feu moyen 2 minutes
environ, jusqu'à ce que le mélange embaume.
Mixez jusqu'à obtention d'une poudre fine.

Par cuillerée lipides 1,7 g ; 36 kcal

L'ASTUCE DU CHEF
Ce mélange d'épices se conservera 2 mois
au réfrigérateur dans un récipient hermétique.

pâtes de curry

L'Inde

La gastronomie indienne fait un usage important d'épices.
Mélangées avec soin et d'une variété presque infinie, ces dernières
parfument curry, boulettes, dhal ainsi que la plupart des autres plats.
Si la cuisine indienne peut être plus ou moins relevée, les mets
à base de viande originaires du nord du pays sont en général
moins épicés que ceux du Sud.

Dhal aux lentilles et chapatis

Pour 6 personnes.

TREMPAGE 12 HEURES • PRÉPARATION 45 MINUTES • CUISSON 1 HEURE

500 g de lentilles brunes
30 g de beurre
2 oignons moyens
2 piments rouges frais,
   finement hachés
1 c. c. de cumin moulu
1 c. c. de coriandre moulue
1/2 c. c. de garam masala
1/2 c. c. de cardamome moulue
1,5 l de bouillon de légumes
1 c. c. de curcuma moulu

Chapatis
600 g de farine blanche
160 g de farine complète
125 g de beurre
2 c. c. de graines de cumin
330 ml d'eau chaude
50 g de ghee (beurre clarifié)

1 Mettez les lentilles dans un saladier rempli d'eau ; laissez-les reposer, couvertes, toute une nuit.

2 Faites chauffer le beurre dans une casserole ; faites blondir les oignons avec les piments et les épices en remuant à feu moyen 2 minutes environ.

3 Ajoutez les lentilles égouttées, le bouillon et le curcuma ; portez à ébullition. Laissez mijoter 50 minutes sans couvrir à feu doux, jusqu'à ce que le mélange épaississe.

Chapatis Mélangez les farines dans un saladier. Incorporez le beurre avec les doigts, puis les graines de cumin. Ajoutez l'eau progressivement ; mélangez jusqu'à obtention d'une pâte molle. Pétrissez cette pâte sur une surface non farinée jusqu'à ce qu'elle soit lisse et élastique. Divisez-la en deux. Partagez chaque moitié en neuf portions égales ; pétrissez-les bien. Roulez chaque portion en une longue saucisse fine, puis en spirale. Aplatissez avec la main. Abaissez chaque spirale en un cercle de 15 cm. Faites chauffer une poêle à fond épais, graissez-la légèrement avec le ghee. Faites cuire les chapatis un par un en pressant légèrement les bords avec un torchon propre en cours de cuisson pour faire gonfler le milieu. Lorsqu'ils sont bien dorés, retournez les chapatis et faites-les cuire de l'autre côté en pressant à nouveau les bords.

Par portion lipides 33,4 g ; 951 kcal

Beignets de légumes

Pour 45 beignets.

PRÉPARATION 20 MINUTES • CUISSON 20 MINUTES

110 g de farine besan

110 g de farine avec levure incorporée

2 gousses d'ail, pilées

1 1/2 c. c. de garam masala

1 c. c. de piment moulu

1 c. c. de graines de cumin

1 c. s. de coriandre fraîche, grossièrement hachée

250 ml d'eau

1 pomme de terre moyenne, râpée

1 petite aubergine, râpée

1 courgette moyenne, râpée

250 g de chou-fleur, râpés

huile végétale pour friture

Sauce au yaourt

1 c. c. de graines de cumin

280 g de yaourt

1 piment rouge frais, finement haché

1/2 c. c. de paprika

2 c. s. de menthe fraîche, finement hachée

1 c. s. de coriandre fraîche, finement hachée

1 Mettez les farines dans un saladier. Ajoutez l'ail, le garam masala, le piment, le cumin et la coriandre. Faites un puits au centre ; ajoutez l'eau progressivement. Mélangez pour obtenir une pâte homogène ; incorporez les légumes.

2 Faites chauffer l'huile dans un wok ou une grande poêle ; faites frire des cuillerées à soupe bien tassées du mélange, par petites quantités. Lorsque les beignets de légumes sont bien dorés, égouttez-les sur du papier absorbant. Servez-les chauds avec la sauce au yaourt et des tranches de citron.

Sauce au yaourt Mettez les graines de cumin dans une poêle ; faites-les chauffer à feu moyen 2 minutes environ, jusqu'à ce qu'elles embaument. Retirez du feu et laissez refroidir. Mélangez les graines de cumin avec les autres ingrédients dans un bol ; remuez bien.

Par beignet lipides 1,9 g ; 41 kcal

Poulet au beurre et riz pilaf à l'oignon

Pour 4 personnes.

PRÉPARATION 30 MINUTES • MARINADE 3 HEURES • CUISSON 1 H 45

150 g de noix de cajou crues

2 c. c. de garam masala

2 c. c. de coriandre moulue

3/4 c. c. de piment moulu

**3 gousses d'ail,
    grossièrement hachées**

2 c. c. de gingembre frais moulu

2 c. s. de vinaigre blanc

80 g de concentré de tomates

140 g de yaourt

**1 kg de filets de poulet,
    dans la cuisse, coupés en deux**

80 g de beurre

1 gros oignon, émincé

1 bâton de cannelle

4 gousses de cardamome, broyées

1 c. c. de paprika

**400 g de purée de tomates
    en boîte**

180 ml de bouillon de volaille

250 ml de crème

Pilaf à l'oignon

40 g de beurre

3 gros oignons, émincés

1 c. s. de graines de cumin

600 g de riz basmati

1,5 l de bouillon de volaille

1 Faites revenir les noix de cajou, le garam masala, la coriandre et le piment dans une poêle chauffée jusqu'à ce que les noix dorent légèrement.

2 Mixez ce mélange avec l'ail, le gingembre, le vinaigre, le concentré de tomates et la moitié du yaourt jusqu'à obtention d'une pâte homogène. Déposez cette pâte dans un saladier et mélangez-la avec le reste du yaourt et le poulet. Couvrez et placez au moins 3 heures au réfrigérateur.

3 Faites fondre le beurre dans une casserole ; faites blondir l'oignon avec la cannelle et la cardamome. Ajoutez le poulet ; laissez cuire 10 minutes.

4 Incorporez le paprika, la purée de tomates et le bouillon ; portez à ébullition. Laissez mijoter 45 minutes sans couvrir à feu doux, en remuant de temps en temps.

5 Retirez la cannelle et la cardamome. Ajoutez la crème ; laissez mijoter 5 minutes. Servez avec le riz pilaf.

Riz pilaf à l'oignon Faites fondre le beurre dans une casserole ; faites blondir les oignons avec les graines de cumin. Ajoutez le riz ; prolongez la cuisson pendant 1 minute en remuant. Incorporez le bouillon ; portez à ébullition. Laissez mijoter 25 minutes à feu doux en couvrant hermétiquement, jusqu'à complète absorption du liquide. Retirez du feu ; remuez les grains à la fourchette. Laissez reposer 5 minutes à couvert.

Par portion lipides 82,9 g ; 1 745 kcal

Curry de poisson aux pommes de terre

Pour 4 personnes.

PRÉPARATION 30 MINUTES • CUISSON 20 MINUTES

2 c. s. d'huile d'arachide

1 oignon moyen, émincé

1 c. s. de gingembre frais, râpé

3 gousses d'ail, pilées

1 c. c. de garam masala

2 c. c. de curcuma moulu

1 c. c. de cumin moulu

1 c. c. de coriandre moulue

4 tomates moyennes, grossièrement hachées

4 feuilles de citronnier kaffir, en lanières

2 c. c. de sucre

125 ml de crème de coco

2 c. s. de coriandre fraîche, grossièrement hachée

4 filets de rouget

2 petites pommes de terre, en tranches fines

40 g de beurre

¹/2 c. c. de cumin moulu, supplémentaire

1 c. c. de curcuma moulu, supplémentaire

1　Faites chauffer la moitié de l'huile dans une poêle ; faites blondir l'oignon avec le gingembre et les deux tiers de l'ail en remuant. Ajoutez le garam masala, le curcuma, le cumin et la coriandre. Prolongez la cuisson pendant 2 minutes environ, en remuant sans cesse, jusqu'à ce que le mélange embaume. Incorporez les tomates, les feuilles de citronnier et le sucre. Laissez cuire 5 minutes environ en remuant et ajoutez la crème de coco ; laissez mijoter 10 minutes sans couvrir en remuant de temps en temps.

2　Juste avant de servir, ôtez les feuilles de citronnier ; ajoutez la coriandre fraîche.

3　Pendant ce temps, faites chauffer le reste de l'huile dans une poêle ; faites dorer les filets de poisson 3 minutes de chaque côté. Mettez-les, côté peau en dessous, sur une plaque du four. Disposez les pommes de terre dessus en une seule couche. Faites fondre le beurre avec le reste d'ail et le supplément de cumin et de curcuma, puis arrosez-en les pommes de terre. Faites cuire sous le gril préchauffé 10 minutes environ jusqu'à ce que les pommes de terre soient croustillantes. Servez avec la sauce aux épices.

Par portion lipides 30,5 g ; 533 kcal

Crevettes aux piments
et aux graines de moutarde

Pour 4 personnes.

PRÉPARATION 20 MINUTES • CUISSON 15 MINUTES

**1,5 kg de crevettes moyennes
crues**

**1 gros oignon,
grossièrement haché**

**2 gousses d'ail,
grossièrement hachées**

**2 c. c. de gingembre frais,
grossièrement haché**

**2 piments rouges frais,
grossièrement hachés**

1 c. c. de curcuma moulu

2 c. s. de jus de citron

2 c. s. de ghee (beurre clarifié)

**1 c. s. de graines de moutarde
noires**

1 c. c. de graines de cumin

80 ml de lait de coco

1 Décortiquez les crevettes en laissant les queues intactes.

2 Mixez l'oignon, l'ail, le gingembre, le piment, le curcuma et le jus de citron jusqu'à obtention d'une pâte homogène. Faites chauffer le ghee dans un wok ou une grande poêle ; faites légèrement dorer le mélange à base d'oignons pendant 5 minutes environ. Ajoutez les graines de moutarde. Remuez jusqu'à ce que le mélange embaume. Incorporez les crevettes ; prolongez la cuisson jusqu'à ce que les crevettes changent de couleur.

3 Ajoutez le lait de coco ; prolongez la cuisson pour réchauffer le tout.

Par portion lipides 14,6 g ; 315 kcal

211

Curry d'agneau au yaourt

Pour 6 personnes.

PRÉPARATION 20 MINUTES • MARINADE 3 HEURES • CUISSON 1 H 20

5 gousses d'ail, pilées

2 c. c. de gingembre frais, râpé

1 c. c. de graines de cardamome

1 c. c. de curcuma moulu

1 c. c. de poivre de Cayenne

2 c. s. d'eau

5 gros oignons, en tranches épaisses

1 kg d'agneau, en dés

80 ml d'huile végétale

1 c. c. de graines de fenouil

2 c. c. de fenugrec

210 g de yaourt

4 petites tomates, épépinées, coupées en dés

500 ml de bouillon de bœuf

2 c. s. de jus de citron vert

30 g de coriandre fraîche, finement hachée

Sambal à la banane et au tamarin

1 c. s. de pâte de tamarin

2 c. c. de sucre

1 c. c. de cumin moulu

150 g de banane écrasée

1 c. s. de jus de citron

35 g de raisins secs

1 Mixez l'ail, le gingembre, les graines de cardamome, le curcuma, le poivre de Cayenne, l'eau et la moitié des oignons en une fine purée. Versez la marinade dans un saladier. Ajoutez les dés d'agneau ; mélangez pour bien les enrober. Couvrez et entreposez au moins 3 heures au réfrigérateur.

2 Faites chauffer l'huile dans une poêle ; faites légèrement dorer le reste des oignons. Réservez. Faites sauter les graines de fenouil et de fenugrec 1 minute en remuant. Ajoutez l'agneau et sa marinade ; prolongez la cuisson en remuant jusqu'à ce que la viande soit bien dorée. Incorporez le yaourt, en quatre fois, en remuant entre les ajouts. Ajoutez les tomates et le bouillon ; portez à ébullition. Couvrez et laissez mijoter 1 heure à feu doux.

3 Ajoutez l'oignon réservé ; laissez mijoter sans couvrir pour réchauffer le tout.

4 Juste avant de servir, incorporez le jus de citron vert et la coriandre. Présentez avec le sambal à la banane et au tamarin.

Sambal à la banane et au tamarin Mélangez tous les ingrédients dans un petit bol. Couvrez ; entreposez 30 minutes au réfrigérateur.

Par portion lipides 25,7 g ; 516 kcal

L'ASTUCE DU CHEF
Pour obtenir 150 g de banane écrasée, il faut en moyenne 2 grosses bananes bien mûres.

Porc madras aux haricots verts

Pour 4 personnes.

PRÉPARATION 10 MINUTES • CUISSON 20 MINUTES

4 tranches de lard, hachées menu

1 c. s. d'huile d'arachide

**700 g de filet de porc,
en tranches fines**

**1 gros oignon blanc,
en tranches épaisses**

75 g de pâte de curry de Madras

**200 g de haricots, grossièrement
coupés**

125 ml de bouillon de bœuf

1 c. s. de concentré de tomates

1 Faites revenir le lard dans un wok ou une grande poêle ; lorsqu'il est bien croustillant, égouttez-le sur du papier absorbant.

2 Faites chauffer l'huile dans le wok ; faites dorer le porc avec l'oignon, par petites quantités.

3 Ajoutez la pâte de curry et prolongez la cuisson jusqu'à ce qu'elle embaume.

4 Incorporez le lard, les haricots, le bouillon et le concentré de tomates ; faites revenir en remuant jusqu'à ébullition de la sauce.

Par portion lipides 17,4 g ; 386 kcal

Boulettes de poisson

Pour 4 personnes.

PRÉPARATION 30 MINUTES • RÉFRIGÉRATION 30 MINUTES • CUISSON 30 MINUTES

700 g de filets de poisson blanc sans arêtes, grossièrement hachés

2 oignons moyens, grossièrement hachés

30 g de coriandre fraîche

2 piments rouges frais, grossièrement hachés

1 c. s. de ghee (beurre clarifié)

2 gousses d'ail, pilées

2 c. c. de coriandre moulue

1 c. c. de cumin moulu

1/2 c. c. de curcuma moulu

2 bâtons de cannelle

1 c. c. de fenugrec moulu

3 tomates moyennes, pelées et coupées en petits dés

1 Mettez le poisson dans une grande casserole d'eau bouillante ; baissez aussitôt le feu, puis laissez mijoter sans couvrir jusqu'à ce que le poisson soit tendre. Égouttez-le au-dessus d'un saladier. Réservez 500 ml de liquide.

2 Mixez le poisson avec la moitié des oignons, la moitié de la coriandre fraîche et les piments jusqu'à obtention d'une pâte homogène.

3 Façonnez des boulettes en forme d'œuf en prélevant pour chacune une cuillerée à soupe bien tassée du mélange ; disposez-les sur un plat. Entreposez à couvert 30 minutes au réfrigérateur.

4 Faites chauffer la moitié du ghee dans une poêle antiadhésive. Faites cuire les boulettes par petites quantités, jusqu'à ce qu'elles soient dorées de toutes parts. Égouttez-les sur du papier absorbant.

5 Faites chauffer le reste du ghee dans une grande casserole ; faites dorer le reste de l'oignon avec l'ail et les épices en remuant. Ajoutez les tomates ; prolongez la cuisson 5 minutes environ en remuant jusqu'à ce qu'elles soient très tendres. Incorporez le liquide réservé ; laissez mijoter, sans couvrir, 10 minutes environ jusqu'à ce que la sauce épaississe.

6 Ajoutez les boulettes ; laissez mijoter 5 minutes à feu doux. Juste avant de servir, incorporez le reste de la coriandre.

Par portion lipides 10,5 g ; 282 kcal

L'ASTUCE DU CHEF
Ce plat peut être préparé la veille si vous le conservez au réfrigérateur.

Bœuf korma

Pour 6 personnes.

PRÉPARATION 20 MINUTES • CUISSON 2 HEURES

60 g de ghee (beurre clarifié)
40 g d'amandes mondées
2 oignons moyens, émincés
250 ml de lait de coco
2 bâtons de cannelle
10 graines de cardamome, broyées
4 feuilles de laurier
3 clous de girofle
1 c. s. de cumin moulu
2 c. c. de coriandre moulue
1 piment rouge frais, finement haché
1 1/2 c. c. de gingembre frais, râpé
4 gousses d'ail, pilées
1 kg de rumsteck, en dés de 3 cm
140 g de yaourt
1 c. c. de sel
125 ml d'eau
1 c. s. de concentré de tamarin

1 Faites fondre 20 g de ghee dans une casserole ; faites légèrement
  dorer les amandes et les oignons en remuant. Réservez.

2 Mixez ce mélange avec le lait de coco jusqu'à obtention d'une pâte
  homogène.

3 Faites fondre le reste du ghee dans la casserole ; faites cuire les épices,
  le piment, le gingembre et l'ail en remuant, jusqu'à ce que le mélange
  embaume. Ajoutez le bœuf ; mélangez bien.

4 Ajoutez progressivement le yaourt en remuant entre chaque ajout.

5 Incorporez le mélange à base d'oignons, le sel et l'eau. Couvrez et laissez mijoter, à couvert, 1 h 45. Ajoutez le tamarin. Prolongez la cuisson
  pendant 15 minutes environ.

Par portion lipides 30,2 g ; 460 kcal

L'ASTUCE DU CHEF
Ce plat peut être préparé la veille, si vous le conservez couvert au
réfrigérateur.

Crevettes masala

Pour 4 personnes.

PRÉPARATION 15 MINUTES • CUISSON 10 MINUTES

1,5 kg de grosses crevettes crues
30 g de menthe fraîche
30 g de coriandre fraîche
125 ml d'eau
2 gousses d'ail, finement hachées
2 c. c. de gingembre frais, râpé
1 c. c. de sambal oelek
2 c. c. de graines de cumin
1 c. c. de graines de fenouil
1/2 c. c. de curcuma moulu
1/4 c. c. de cardamome moulue
1 c. s. d'huile d'arachide
1 gros oignon en tranches fines
150 g de pois mange-tout
2 c. s. de jus de citron vert
140 g de yaourt maigre

1 Décortiquez les crevettes en laissant les queues intactes. Mixez la menthe, la coriandre, l'eau, l'ail, le gingembre, le sambal oelek, le cumin, le fenouil, le curcuma et la cardamome jusqu'à obtention d'un mélange homogène.

2 Faites chauffer l'huile dans une grande poêle ; faites dorer l'oignon à feu moyen 3 minutes en remuant. Ajoutez le mélange à base d'herbes. Prolongez la cuisson pendant 1 minute.

3 Incorporez les crevettes et les pois mange-tout ; faites cuire 4 minutes environ. Arrosez de jus de citron vert. Servez avec le yaourt dans un bol à part.

Par portion lipides 7 g ; 272 kcal

Curry de canard

Pour 4 personnes.

PRÉPARATION 15 MINUTES • CUISSON 50 MINUTES

1 canard de 1,6 kg
1 gros oignon, émincé
1 c. s. de coriandre moulue
1 c. c. de gingembre moulu
1/2 c. c. de curcuma moulu
1/2 c. c. de cardamome moulue
1/4 c. c. de paprika
1 c. c. de concentré de tamarin
500 ml de bouillon de volaille
2 c. s. d'eau
1 c. s. de Maïzena
1 c. s. de coriandre fraîche,
  grossièrement hachée

1 Coupez le canard en morceaux. Faites-le dorer de chaque côté par petites quantités dans une grande poêle chauffée. Égoutte sur du papier absorbant.

2 Videz la graisse contenue dans la poêle en réservant 1 cuillerée à soupe. Faites chauffer cette graisse et mettez l'oignon à cuire 1 minute en remuant. Ajoutez la coriandre moulue, le gingembre, le curcuma, la cardamome et le paprika. Prolongez la cuisson de 2 minutes en remuant jusqu'à ce que les épices embaument. Incorporez le concentré de tamarin et le bouillon.

3 Remettez le canard dans la poêle ; portez à ébullition. Laissez mijoter à feu doux 30 minutes sans couvrir.

4 Délayez la Maïzena avec l'eau dans un bol ; ajoutez au contenu de la poêle et faites chauffer à feu moyen jusqu'à ébullition de la sauce qui doit épaissir. Incorporez la coriandre fraîche juste avant de servir. Servez avec des pappadums épicés.

Par portion lipides 56,1 g ; 634 kcal

219

Gigot d'agneau à la façon du Cachemire

Pour 6 personnes.

PRÉPARATION 15 MINUTES • MARINADE 12 HEURES • CUISSON 1 H 45

2 c. c. de graines de cumin

2 c. c. de graines de coriandre

2 c. c. de graines de moutarde noires

6 graines de cardamome, broyées

1/2 c. c. de cannelle en poudre

1/2 c. c. de poivre noir concassé

1/4 c. c. de clous de girofle moulus

4 gousses d'ail, pilées

1 c. s. de gingembre frais râpé

60 ml de vinaigre blanc

2 c. s. de concentré de tomates

1 c. c. de sambal oelek

1 gigot d'agneau de 2 kg

125 ml d'eau bouillante

4 feuilles de curry sèches, en lanières

10 pommes de terre moyennes en dés de 2 cm

2 c. s. de ghee (beurre clarifié)

2 c. c. de graines de moutarde noires, supplémentaires

2 c. c. de cumin moulu

2 c. c. de coriandre moulue

1 Mélangez les graines de cimin, de coriandre, de moutarde et de cardamome, la cannelle, le poivre et les clous de girofle dans une casserole chauffée sans matière grasse. Faites cuire en remuant jusqu'à ce que le mélange embaume. Laissez refroidir et mixez jusqu'à obtention d'une poudre. Dans un bol mélangez l'ail, le gingembre, le vinaigre, le concentré de tomates et le sambal oelek avec les épices préparés.

2 Dégraissez l'agneau ; faites plusieurs entailles sur le gigot avec un couteau pointu. Frottez-le avec le mélange à base d'épices en pressant bien à l'intérieur des fentes. Mettez le gigot dans un saladier. Couvrez et entreposez toute une nuit au réfrigérateur.

3 Versez l'eau mélangée aux feuilles de curry dans un plat à rôtir ; posez l'agneau sur une grille métallique au-dessus. Couvrez de papier d'aluminium et faites cuire 1 heure à four moyen. Sortez du four. Jetez le papier d'aluminium et prolongez la cuisson de 30 minutes.

4 Pendant ce temps, faites cuire les pommes de terre à l'eau ou à la vapeur jusqu'à ce qu'elles soient juste tendres. Égouttez-les. Faites chauffer le ghee dans un faitout. Faites cuire les épices supplémentaires 1 minute en remuant. Ajoutez les pommes de terre et faites-les dorer. Mettez-les 15 minutes dans le four chaud, jusqu'à ce qu'elles soient très croustillantes. Présentez-les avec l'agneau.

Par portion lipides 21,5 g ; 532 kcal

Samosas

Pour 30 samosas.

PRÉPARATION 30 MINUTES • CUISSON 10 MINUTES

5 feuilles de pâte brisée
1 c. s. de lait
huile végétale pour la friture

Garniture aux légumes et au curry

2 c. s. d'huile végétale
1 oignon moyen, émincé
1 gousse d'ail, pilée
2 c. c. de curry doux en poudre
1 grosse pomme de terre, en petits dés
1 petite carotte, en petits dés
2 c. s. de petits pois congelés

Garniture à la viande

1 c. s. d'huile végétale
1 petit oignon, émincé
1 gousse d'ail, pilée
1 c. c. de gingembre frais, râpé
1/4 c. c. de piment moulu
1 c. c. de garam masala
1 c. c. de coriandre moulue
1/2 c. c. de curcuma moulu
1/2 c. c. de paprika doux
175 g de bœuf haché
1 c. s. de jus de citron
1 c. s. de menthe fraîche, ciselée

1 Coupez des disques de 8 cm dans la pâte brisée. Placez une cuillerée à café rase de garniture sur une moitié de chaque cercle. Badigeonnez les bords de lait. Repliez l'autre moitié ; pressez sur les bords pour bien sceller.

2 Faites chauffer l'huile dans un wok ou une grande poêle ; faites frire les samosas jusqu'à ce qu'ils soient dorés.

Garniture aux légumes Faites chauffer l'huile dans une poêle. Faites dorer l'oignon avec l'ail et la poudre de curry en remuant. Ajoutez la pomme de terre et la carotte. Prolongez la cuisson 5 minutes en remuant jusqu'à ce que les légumes soient tendres. Incorporez les petits pois. Laissez refroidir.

Garniture à la viande Faites chauffer l'huile dans une poêle. Faites légèrement dorer l'oignon en remuant. Ajoutez l'ail, le gingembre, le piment, le garam masala, la coriandre, le curcuma et le paprika ; prolongez la cuisson en remuant jusqu'à ce que le mélange embaume. Ajoutez le bœuf ; faites-le revenir en remuant toujours, jusqu'à ce qu'il soit bien doré. Hors du feu ajoutez le citron et la menthe. Laissez refroidir.

Par samosa aux légumes lipides 7,4 g ; 104 kcal

Par samosa à la viande lipides 6,9 g ; 97 kcal

Poulet tandoori

Pour 6 personnes.

PRÉPARATION 20 MINUTES • MARINADE 12 HEURES • CUISSON 1 H 30

150 g de pâte tandoori
280 g de yaourt
2 gousses d'ail, pilées
2 c. c. de gingembre frais, râpé
1 poulet de 1,6 kg
250 ml de vin de gingembre vert

1 Mélangez la pâte tandoori, le yaourt, l'ail et le gingembre dans un saladier. Prélevez le mélange avec les doigts et frottez-en le poulet de toutes parts. Entreposez-le toute une nuit au réfrigérateur.

2 Calez les ailes sous le poulet ; attachez les pattes ensemble avec de la ficelle de cuisine. Posez le poulet sur une plaque métallique graissée au-dessus d'un plat à rôtir. Versez le vin dans le plat ; faites cuire 1 h 30 à four moyen.

Par portion lipides 26,6 g ; 415 kcal

Porc vindaloo

Pour 4 personnes.

PRÉPARATION 20 MINUTES • CUISSON 1 H 30

1 c. s. d'huile végétale
1 kg de porc, coupé en morceaux
2 gros oignons, émincés
250 ml de bouillon de légumes

Pâte vindaloo
2 c. c. de cumin moulu
1 c. c. de piment moulu
2 c. c. de graines de moutarde noires
1 1/2 c. c. de cannelle moulue
80 ml de vinaigre de vin blanc
1 c. c. de sel
1 c. c. de sucre
1 c. c. de cardamome moulue
2 c. c. de curcuma moulu
1/2 c. c. de clous de girofle moulus
1 c. c. de poivre noir concassé
3 gousses d'ail, pilées
1 1/2 c. c. de gingembre moulu

Sambal à la mangue
1 mangue moyenne, en petits dés
1 piment rouge frais, émincé
1 c. s. de jus de citron
1 c. s. de menthe fraîche, ciselée

1 Faites chauffer l'huile dans une casserole ; faites revenir le porc par petites quantités, jusqu'à ce qu'il soit doré de toutes parts. Réservez. Faites dorer l'oignon dans la même casserole en remuant.

2 Ajoutez la pâte vindaloo ; faites cuire en remuant jusqu'à ce qu'elle embaume. Incorporez le bouillon ; remettez le porc dans la casserole. Portez à ébullition.

3 Laissez mijoter 1 heure à feu doux sans couvrir, en remuant de temps en temps. (Pendant ce temps, préparez le sambal à la mangue et laissez reposer.) Servez avec le sambal à la mangue.

Pâte vindaloo Mélangez tous les ingrédients dans un bol ; laissez reposer 30 minutes avant utilisation.

Sambal à la mangue Mélangez tous les ingrédients dans un bol. Couvrez et placez au moins 1 heure au réfrigérateur.

Par portion lipides 15,4 g ; 447 kcal

L'ASTUCE DU CHEF
Le porc vindaloo peut se préparer la veille si on le conserve couvert au réfrigérateur. Il se gardera 3 mois au congélateur.

Dhal aux deux lentilles, aux haricots et aux pois cassés

Pour 8 personnes.

PRÉPARATION 10 MINUTES • CUISSON 1 H 10

60 g de ghee (beurre clarifié)

2 oignons moyens

2 gousses d'ail, pilées

1 c. s. de gingembre frais, râpé

1 1/2 c. s. de graines de moutarde noires

1 1/2 c. s. de cumin moulu

1 1/2 c. s. de coriandre moulue

2 c. c. de curcuma moulu

150 g de lentilles brunes

150 g de lentilles corail

150 g de haricots mung jaunes

150 g de pois cassés

800 g de tomates en boîte

1 l de bouillon de légumes

160 ml de crème de coco

30 g de coriandre fraîche, grossièrement hachée

1 Faites chauffer le ghee dans une casserole à fond épais ; faites dorer l'oignon avec l'ail et le gingembre en remuant. Ajoutez les graines de moutarde et les épices moulues. Prolongez la cuisson en remuant jusqu'à ce que le mélange embaume.

2 Ajoutez les lentilles, les haricots et les pois cassés ; mélangez. Incorporez les tomates concassées avec leur jus et le bouillon. Portez à ébullition. Laissez mijoter 1 heure à feu doux sans couvrir, en remuant de temps en temps, jusqu'à ce que les lentilles soient tendres et que le mélange épaississe.

3 Juste avant de servir, ajoutez la crème de coco et la coriandre ; prolongez la cuisson pour réchauffer le tout.

Par portion lipides 14,3 g ; 374 kcal

L'astuce du chef

Faute de ghee, vous pouvez clarifier du beurre ordinaire en le faisant chauffer dans une petite casserole jusqu'à ce qu'un dépôt blanchâtre se forme à la surface. Écumez ce dépôt et jetez-le ; utilisez la graisse restante.

Masala de pommes de terre à la mode de Bombay

Pour 6 personnes.

PRÉPARATION 10 MINUTES • CUISSON 15 MINUTES

1,5 kg de pommes de terre

20 g de beurre

1 gros oignon, en tranches fines

3 gousses d'ail, pilées

1 c. c. de graines de moutarde jaunes

3 c. c. de garam masala

2 c. c. de coriandre moulue

2 c. c. de cumin moulu

1/2 c. c. de piment moulu

1/4 c. c. de curcuma moulu

400 g de tomates en boîte

1 Coupez les pommes de terre en quartiers. Faites-les cuire à l'eau ou à la vapeur jusqu'à ce qu'elles soient tendres. Égouttez-les.

2 Faites fondre le beurre dans une poêle. Faites blondir l'oignon avec l'ail en remuant. Ajoutez les graines et les épices. Prolongez la cuisson en remuant jusqu'à ce que le mélange embaume.

3 Ajoutez les tomates concassées avec leur jus. Faites cuire 2 minutes en remuant jusqu'à ce que la sauce épaississe légèrement. Ajoutez les pommes de terre ; prolongez la cuisson pour réchauffer le tout.

Par portion lipides 3,5 g ; 218 kcal

Curry de légumes aux parathas

Pour 8 personnes.

PRÉPARATION 50 MINUTES • REPOS 1 HEURE • CUISSON 1 HEURE

1 c. s. d'huile végétale

2 oignons moyens,
    grossièrement hachés

2 gousses d'ail, pilées

1 c. s. de graines de moutarde
    noires

2 c. c. de graines de cumin

1/2 c. c. de curcuma

1 c. s. de coriandre moulue

1/2 c. c. de cannelle moulue

2 grosses patates douces,
    grossièrement coupées

500 ml de bouillon de légumes

400 g de tomates en boîte

2 c. s. de concentré de tomates

375 ml de lait de coco

500 g de chou-fleur, en bouquets

200 g de haricots verts,
    coupés
    en deux

600 g de pois chiches en boîte,
    rincés et égouttés

30 g de coriandre fraîche,
    grossièrement hachée

Parathas

5 pommes de terre moyennes,
    grossièrement coupées

100 g de lentilles brunes

1 c. s. d'huile végétale

1 oignon moyen,
    grossièrement haché

1 gousse d'ail, pilée

1 c. s. de graines de moutarde
    noires

2 c. c. de garam masala

40 g de coriandre fraîche,
    grossièrement hachée

480 g de farine complète

450 g de farine blanche

2 c. c. de sel

80 g de beurre

500 ml d'eau, environ

1 Faites chauffer l'huile dans une casserole ; faites blondir l'oignon avec l'ail en remuant. Ajoutez les graines de moutarde et de cumin, aisi que les épices moulues ; prolongez la cuisson en remuant jusqu'à ce que le mélange embaume. Ajoutez les patates douces. Laissez cuire 5 minutes en remuant.

2 Ajoutez le bouillon, les tomates concassées avec leur jus et le concentré de tomates ; portez à ébullition. Laissez mijoter 15 minutes à feu doux, jusqu'à ce que la patate douce soit juste tendre. Ajoutez le lait de coco et le chou-fleur. Faites mijoter 5 minutes sans couvrir.

3 Incorporez les haricots verts et les pois chiches. Laissez cuire sans couvrir 10 minutes environ, jusqu'à ce que les légumes soient tendres. Juste avant de servir, ajoutez la coriandre. Servez le curry avec les parathas.

Parathas Faites cuire les pommes de terre à l'eau ou à la vapeur jusqu'à ce qu'elles soient tendres. Égouttez-les. Réduisez-les en purée. Faites cuire les lentilles sans couvrir dans une petite casserole d'eau bouillante 15 minutes environ. Égouttez. Faites chauffer l'huile dans une poêle ; faites dorer l'oignon avec l'ail en remuant. Ajoutez les graines et le garam masala ; prolongez la cuisson en remuant jusqu'à ce que le mélange embaume. Mettez ce mélange dans un saladier avec la purée de pommes de terre, les lentilles et la coriandre. Déposez les farines et le sel dans un récipient ; incorporez le beurre avec les doigts. Ajoutez assez d'eau pour former une pâte lisse. Pétrissez-la sur une surface farinée 10 minutes environ, jusqu'à ce qu'elle soit élastique. Couvrez de film étirable ; laissez reposer 1 heure. Divisez la pâte en 32 portions. Abaissez chaque portion sur une surface farinée en un paratha de 14 cm de diamètre. Empilez les parathas au fur et à mesure en les séparant d'une pellicule de film étirable pour les empêcher de sécher. Étalez 16 parathas sur une surface farinée ; garnissez du mélange lentilles-pommes de terre en l'étalant uniformément jusqu'à 1 cm du bord. Badigeonnez les bords avec un peu d'eau. Recouvrez les 16 premiers parathas avec les parathas restants en pressant bien sur les bords pour sceller. Faites cuire les parathas sur un gril chauffé et huilé (ou au barbecue) jusqu'à ce qu'ils soient dorés des deux côtés.

Par portion lipides 28,7 g ; 898 kcal

Curry d'agneau au raïta

Pour 4 personnes.

PRÉPARATION 40 MINUTES • CUISSON 1 H 10

1 aubergine moyenne
gros sel
1 kg d'épaule d'agneau, désossée
2 pommes de terre moyennes
1 poivron rouge moyen
2 c. s. d'huile végétale
2 oignons moyens,
  grossièrement hachés
2 gousses d'ail, pilées
1 c. s. de gingembre frais, râpé
75 g de pâte de curry doux
425 g de tomates, en boîte
250 ml de lait de coco
300 g de lentilles brunes
huile végétale pour la friture
12 pappadums

Raïta
1 pépino, épépiné et coupé
  en petits dés
280 g de yaourt
1 gousse d'ail, pilée

1 Coupez l'aubergine sans la peler en dés de 2 cm ; mettez-les dans une passoire. Saupoudrez de sel ; laissez reposer 30 minutes. Égouttez.

2 Pendant ce temps, détaillez l'agneau, les pommes de terre et le poivron en morceaux de 3 cm. Faites chauffer 1 cuillerée à soupe d'huile végétale dans une poêle ; faites cuire la viande par petites quantités, jusqu'à ce qu'elle soit bien dorée. Réservez. Faites chauffer le reste de l'huile dans la poêle ; faites dorer l'oignon avec le céleri, l'ail, le gingembre et la pâte de curry en remuant.

3 Rincez l'aubergine avec soin sous l'eau froide. Séchez-la avec du papier absorbant. Ajoutez l'aubergine au mélange à base d'oignons. Joignez les tomates concassées avec leur jus, les pommes de terre et le poivron. Remuez l'agneau et prolongez la cuisson jusqu'à ébullition. Couvrez et laissez mijoter 30 minutes à feu doux.

4 Ajoutez le lait de coco ; prolongez la cuisson à feu doux pendant 10 minutes sans couvrir, jusqu'à ce que la sauce épaississe légèrement.

5 Pendant ce temps, faites cuire les lentilles 10 minutes environ dans une casserole d'eau bouillante, sans couvrir, jusqu'à ce qu'elles soient tendres. Égouttez-les. Couvrez pour garder au chaud.

6. Faites chauffer l'huile végétale dans une poêle. Faites cuire les pappadums un par un, jusqu'à ce qu'ils soient dorés et gonflés des deux côtés. Retournez-les avec des pinces métalliques. Égouttez-les sur du papier absorbant.

7 Servez le curry d'agneau avec les lentilles, les pappadums et le raïta de concombres.

Raïta Mélangez les ingrédients dans un bol.

Par portion lipides 49,3 g ; 1 060 kcal

Pilaf aux fruits secs et à la noix de coco

Pour 4 personnes.

PRÉPARATION 10 MINUTES • CUISSON 35 MINUTES

60 g de ghee (beurre clarifié)
2 oignons moyens, émincés
1 c. c. de graines de cumin
1 bâton de cannelle
4 graines de cardamome, broyées
3 clous de girofle entiers
1 c. c. de curcuma
200 g de riz basmati
410 ml de crème de coco
125 ml d'eau
75 g de pistaches, grillées, grossièrement hachées
35 g de raisins secs

1 Faites fondre le ghee dans une poêle. Faites blondir l'oignon en remuant à feu moyen pendant 4 minutes environ. Ajoutez le cumin, la cannelle, la cardamome, les clous de girofle et le curcuma. Prolongez la cuisson pendant 2 minutes.

2 Incorporez le riz ; laissez cuire 1 minute en remuant. Ajoutez la crème de coco et l'eau ; portez à ébullition. Couvrez et laissez mijoter 20 minutes environ à feu doux jusqu'à complète absorption du liquide. Retirez le bâton de cannelle ; jetez-le. Ajoutez les pistaches et les raisins secs. Remuez le pilaf à la fourchette avant de servir.

Par portion lipides 45, 3 g ; 659 kcal

Agneau épicé au yaourt

Pour 6 personnes.

PRÉPARATION 30 MINUTES • MARINADE 3 HEURES • CUISSON 2 HEURES

1 kg d'agneau, coupé en dés
280 g de yaourt
1 c. s. de vinaigre de malt
4 gousses d'ail, pilées
1 c. s. de gingembre frais, râpé
2 c. s. de ghee (beurre clarifié)
4 graines de cardamome, broyées
3 clous de girofle
1 bâton de cannelle
2 oignons blancs moyens, émincés
3 c. c. de cumin moulu
1 c. s. de coriandre moulue
1 c. c. de fenouil moulu
1 ¹/₂ c. c. de paprika
³/4 c. c. de piment moulu
125 ml de bouillon de légumes
1 c. c. de garam masala
2 c. s. de coriandre fraîche, ciselée
1 c. s. de menthe fraîche, ciselée

1 Mélangez l'agneau, le yaourt, le vinaigre, la moitié de l'ail et du gingembre dans un saladier. Couvrez ; placez au moins 3 heures au réfrigérateur.

2 Faites chauffer le ghee dans une casserole ; faites chauffer la cardamome, les clous de girofle et le bâton de cannelle en remuant jusqu'à ce que le mélange embaume.

3 Ajoutez les oignons et le reste de l'ail et du gingembre ; prolongez la cuisson en remuant jusqu'à ce que l'oignon soit légèrement doré.

4 Ajoutez les épices moulues ; faites cuire en remuant jusqu'à ce qu'elles embaument. Incorporez l'agneau ; remuez pour bien enrober la viande du mélange d'épices.

5 Versez le bouillon ; couvrez et laissez mijoter 1 h 30. Retirez le couvercle et prolongez la cuisson à feu doux pendant 30 minutes. Juste avant de servir, incorporez le garam masala et les herbes fraîches.

Par portion lipides 16,4 g ; 331 kcal

L'ASTUCE DU CHEF
Préparez cette recette la veille et gardez-la, couverte, au réfrigérateur.

Nashis grillés
à l'eau de rose

Pour 4 personnes.

PRÉPARATION 10 MINUTES
CUISSON 15 MINUTES

500 ml d'eau
165 g de sucre en poudre
2 ¹/₂ c. c. d'eau de rose
4 nashis moyens, coupés en deux
1 c. s. de miel
1 c. s. de sucre roux

1 Mélangez l'eau, le sucre et l'eau de rose dans une casserole. Faites chauffer à feu moyen. Lorsque le sucre est dissous, ajoutez les nashis ; laissez mijoter 10 minutes environ jusqu'à ce qu'ils soient tendres.

2 Égouttez les fruits. Réservez le sirop ; couvrez pour garder au chaud. Disposez les nashis sur une plaque du four. Arrosez de miel. Saupoudrez de sucre roux.

3 Faites griller les nashis jusqu'à ce qu'ils soient légèrement dorés. Servez-les chauds ou froids avec le sirop à l'eau de rose chaud.

Par portion lipides 0,3 g ; 320 kcal

L'ASTUCE DU CHEF
Le nashi est un fruit du Japon qui a la forme d'une pomme et la saveur d'une poire. On peut le remplacer par l'un ou par l'autre de ces fruits.

Mangues
au citron vert
et à la citronnelle

Pour 4 personnes.

PRÉPARATION 10 MINUTES
CUISSON 15 MINUTES

440 g de sucre
500 ml d'eau
1 c. s. de zeste de citron vert, râpé
60 ml de jus de citron vert
1 morceau de citronnelle fraîche de 10 cm, émincé
2 feuilles de citronnier kaffir, en fines lanières
4 grosses mangues

1 Mélangez le sucre, l'eau, le zeste et le jus de citron vert, la citronnelle et les feuilles de citronnier kaffir dans une casserole. Faites chauffer à feu doux jusqu'à ce que le sucre soit dissous ; portez à ébullition. Laissez mijoter 15 minutes environ à feu doux, jusqu'à épaississement du sirop.

2 Pendant ce temps, coupez les mangues en deux dans le sens de la longueur de part et d'autre du noyau. Enlevez la peau. Mettez la mangue dans un bol résistant à la chaleur. Arrosez de sirop. Servez chaud ou froid.

Par portion lipides 0,9 g ; 666 kcal

L'ASTUCE DU CHEF
Ce plat peut être préparé la veille si vous le conservez couvert au réfrigérateur.

Papaye
à la noix de coco

Pour 4 personnes.

PRÉPARATION 10 MINUTES

**2 papayes moyennes, pelées, épépinées,
  en tranches épaisses**
80 ml de jus de citron vert
2 fruits de la passion
2 c. s. de noix de coco, en paillettes, grillées

1 Disposez les papayes sur un plat de service.
2 Garnissez de fruits de la passion mélangés
  au jus de citron. Saupoudrez de noix de
  coco. Servez aussitôt.

Par portion lipides 1,6 g ; 122 kcal

L'ASTUCE DU CHEF
Vous trouverez de la papaye dans les magasins asiatiques et certaines épiceries fines.

Tranches d'ananas
au sucre de palme

Pour 8 personnes.

PRÉPARATION 15 MINUTES
CUISSON 5 MINUTES

1 ananas moyen, pelé
60 g de sucre de palme

1 Coupez l'ananas en huit tranches ; retirez le
  cœur.
2 Disposez les tranches d'ananas sur une
  plaque du four. Saupoudrez-les de sucre.
  Faites cuire sous un gril chaud jusqu'à ce que
  le sucre soit légèrement caramélisé
  (Surveillez la cuisson de près parce que le
  sucre de palme fond beaucoup plus rapidement que le sucre blanc.) Servez immédiatement.

Par portion lipides 0,1 g ; 58 kcal

fruits

Glossaire

Glossaire
Table des recettes

Glossaire

Amandes
Mondées Épluchées.
Effilées En fines lamelles.

Anchois séchés
Également connus sous le nom d'ikan bilis. Disponibles en sachets dans les épiceries asiatiques.

Anis étoilé
Séché, en forme d'étoile au goût prononcé d'anis. Sert en infusion, dans les desserts ou les tisanes. Également appelé badiane.

Aubergines
Japonaises Elles sont petites et minces. Il est inutile de les saler pour les faire « suer » avant utilisation.
Thaïes Elles sont vertes et blanches, de la taille d'une grosse bille et assez amères.

Bananes (feuilles de)
Vous pouvez en commander dans certains magasins de fruits et légumes. En général, une feuille est coupée en 10 morceaux. Si vous possédez un bananier, coupez une feuille avec un couteau pointu près de la tige principale et plongez-la dans l'eau chaude pour l'assouplir.

Badiane
Voir Anis étoilé.

Bambou (pousses de)
La partie la plus tendre des jeunes plants de bambou. Disponibles en boîte.

Bancoul (noix de)
Une noix dure, huileuse, légèrement amère, utilisée pour épaissir les currys en Malaisie et en Indonésie. On peut la remplacer par des amandes, des noix du Brésil ou des noix de macadamia. Achetez-les en petites quantités et conservez-les au réfrigérateur pour les empêcher de rancir.

Barbecue
Sauce Sauce épicée à base de tomates servant à mariner ou à badigeonner les viandes, ou encore en accompagnement.
Porc au barbecue Traditionnellement cuit dans des fours spéciaux. Le porc est enrobé d'une sauce sucrée et gluante à base de sauce de soja, de xérès, de cinq-épices en poudre et de sauce hoisin. Vendu tout prêt dans les épiceries asiatiques.

Basilic thaï
Également connu sous le nom de bai krapow. Ses feuilles, ridées, sont petites ; les tiges violettes ont un arôme puissant, légèrement amer. On l'emploie le plus souvent dans les currys et les plats sautés. Disponible dans les épiceries asiatiques et dans certains supermarchés.

Besan (farine)
À base de pois chiches moulus. Sert à faire la pâte pour les pakoras (légumes frits) indiens.

Beurre de cacahuètes
Pâte à base de cacahuètes. Disponible dans les épiceries asiatiques et en supermarchés.

Bœuf
Pour les recettes de cet ouvrage, utilisez de préférence une pièce de bœuf tendre et maigre. Filet et rumsteck sont de tout premier choix, mais on peut les remplacer par du faux-filet, de l'entrecôte, des aiguillettes, de l'aloyau, de l'onglet, de la bavette ou encore de la tranche à fondue, bien que certains de ces morceaux soient moins tendres.

Bonite (en paillettes, séchées)
Poisson séché et réduit en paillettes, que l'on emploie avec le kombu (algues séchées) pour la confection du dashi (bouillon).

Bok choy
Aussi connu sous le nom de chou blanc chinois, comparable aux blettes. Ce légume a un goût frais, légèrement moutardé. Excellent sauté ou braisé. Les pousses de bok choy sont plus tendres et plus délicates.

Bouillon
Une tablette (ou 1 cuillerée à café de bouillon en poudre) permet d'obtenir 250 ml de bouillon.

Brocolis chinois
Légumes verts à longues feuilles. On peut les remplacer par des blettes.

Cacahuètes
Dans toutes les recettes de cet ouvrage, nous utilisons des cacahuètes grillées non salées ou, si rien n'est précisé, des cacahuètes non grillées.

Cannelle
Un des ingrédients de la poudre cinq-épices et l'une des épices les plus parfumées, utilisée couramment dans le garam masala et les autres mélanges d'épices indiens.

Cardamome
En gousses, en graines ou en poudre. Saveur caractéristique, très parfumée, poivrée et douce à la fois. Originaire de l'Inde. Si vous l'utilisez entière, écrasez légèrement la gousse pour libérer son parfum. C'est l'une des épices les plus chères.

Carvi
En graines ou en poudre ; dans des plats épicés ou non.

Champignons
Brun suisse Champignon allant du marron clair au marron foncé ; goût léger.
Champignon de Paris Petit champignon blanc au goût délicat.

Shiitake Petit champignon frais au goût de viande.

Muerr Également appelés « oreilles des bois ». Ils sont décoratifs et d'une saveur douce et aromatique.

Chapelure
Poudre élaborée avec du pain rassis réduit en miettes. On trouve de la chapelure toute prête dans le commerce. La chapelure japonaise est plus légère.

Châtaignes d'eau
Appelées aussi marrons ou liseron d'eau. Ressemblent à des marrons. Chair blanche croustillante, au goût de noisette. Elles sont meilleures fraîches, mais on les trouve plus facilement en boîte. Se conservent environ 1 mois au réfrigérateur une fois la boîte ouverte.

Chou chinois
Également connu sous le nom de chou de Pékin. Ressemble un peu à une romaine, mais son goût est plus proche du chou vert.

Choy sum
Légume chinois à grandes feuilles.

Cinq-épices
Mélange parfumé de cannelle, de clous de girofle, d'anis étoilé, de poivre du Sichuan et de fenouil. En poudre.

Citronnelle
Herbe longue, touffue, au goût et à l'odeur de citron. On hache l'extrémité blanche des tiges. Utilisée dans de nombreuses cuisines asiatiques, ainsi qu'en tisane.

Coco
Crème Première pression de la chair mûre des noix. Disponible en boîte ou en berlingot. *Lait* Deuxième pression (moins calorique). Disponible en boîte ou en berlingot. On trouve aussi du lait de coco écrémé.

Concombre
Dans la cuisine chinoise, on utilisera de préférence des petits concombres, plus croquants, ou si on en trouve, une variété exotique appelée « pépinos ».

Coriandre
Aussi appelé persil arabe ou chinois, car on la trouve beaucoup dans la cuisine nord-africaine et asiatique. On utilise les feuilles, les racines, ou les graines qui n'ont pas du tout le même goût.

Crabe
Achetez des crabes vivants dans la mesure du possible. Placez-les au réfrigérateur avant de les faire cuire. Faites-les cuire le jour de votre achat.

Crevettes
Pâte Également connue sous le nom de trasi ou balchan ; une pâte très parfumée, presque solide, à base de crevettes séchées et salées. Utilisée pour aromatiser les soupes et les sauces dans le Sud-Est asiatique. *Séchées* Disponibles dans les magasins asiatiques en sachets plastiques. Une fois le sachet ouvert, conservez-les au réfrigérateur. Employées frites ou pour saupoudrer les plats de légumes et de nouilles, ou ajoutées aux soupes et aux plats sautés.

Curcuma
Cette épice de la famille du gingembre est une racine qu'on réduit en poudre ; elle possède une saveur épicée, mais non piquante.

Glossaire

Curry

Feuilles On les trouve fraîches ou sèches. Elles ont un léger goût de curry. Employées comme les feuilles de laurier.

Pâte Certaines recettes de cet ouvrage requièrent des pâtes de curry vendues dans le commerce, plus ou moins relevées, de la sauce Tikka, assez douce, à la vindaloo, très épicée, en passant par la Madras, moyennement forte. Choisissez celle qui vous convient selon vos goûts en la matière.

Poudre Mélange d'épices moulues, commode pour préparer les plats indiens. Comporte, dans des proportions diverses, du piment séché, de la cannelle, de la coriandre, du cumin, du fenouil, du fenugrec, du macis, de la cardamome et du curcuma. Choisissez celle qui vous convient.

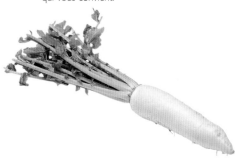

Daikon

Gros radis blanc japonais que l'on trouve frais ou en conserve. Il est supposé faciliter la digestion et éliminer les graisses. On le râpe finement pour le mélanger à la sauce d'accompagnement des tempuras, par exemple.

Dashi

Il en existe traditionnellement trois variétés dans la cuisine japonaise. Le katsuo-dashi, un bouillon à base de copeaux de bonite séchés, le kombu-dashi, à base d'algues séchées, servant à la préparation des shabu-shabu (fondues japonaises) et le niboshi-dashi, bouillon à base d'anchois, ou de petites sardines, séchés. On trouve du dashi instantané, en poudre, en granulés ou en concentré.

Eau de rose

Extrait de pétales de rose broyés. Appelée gulab en Inde. Sert à aromatiser desserts et confiseries.

Fenouil (graines)

Le bulbe de fenouil n'est pas utilisé dans la cuisine asiatique, mais les graines, entières ou moulues, sont très employées dans la cuisine indienne, malaise et indonésienne. Elles ont un goût d'anis prononcé et sont généralement consommées en petites quantités.

Fenugrec

Ces graines amères sont employées parcimonieusement dans les currys indiens.

Galangal

Racine sèche de la famille du gingembre. Plus dense et fibreuse et plus difficile à couper. Employée entière ou râpée, elle a un goût poivré marqué. On en trouve désormais plus facilement. Entre dans la composition des plats thaïs, malais et de Singapour. Retirez le morceau du plat avant de servir.
Le galangal séché est souvent appelé poudre de Laos.

Garam masala

Mélange d'épices originaires du nord de l'Inde. Inclut généralement de la cardamome, de la cannelle, des clous de girofle, de la coriandre, du fenouil et du cumin, grillés et moulus ensemble. Les proportions varient selon les préparations. On ajoute parfois du poivre noir et du chili pour relever le goût.

Germes

Pousses tendres de variétés de haricots et de graines que l'on fait germer pour être consommés. On trouve principalement des germes de soja, de haricots mung et d'alfalfa.

Ghee

Beurre clarifié. Cette matière grasse peut être portée à haute température sans brûler.

Gingembre rose mariné

Ou Gari. Doux. Conservé en saumure.
Se consomme avec les sushis et les sashimi.

Gingembre rouge mariné

Ou beni-shoga. Assez salé, il s'emploie quelquefois comme garniture pour sushis.

Haricots

Chinois Appelés aussi « cornilles » ou « black eyes peas » (pois à œil noir), ce sont de petits haricots beiges, avec une tâche noire au centre. On en trouve chez les grainetiers.
Haricots mung Également connus sous le nom de moong dhal. Très utilisé dans la cuisine asiatique, tels quels, ou réduits en pâte. On les cultive aussi pour leurs germes.
Noirs Haricots secs au fort goût de terroir, à ne pas confondre avec les « haricots noirs » chinois qui sont des haricots de soja. Très courants en Amérique Latine et Centrale ainsi que dans les Antilles. On trouve de la pâte de haricots noirs salés en boîte qui sont fermentés. Ils vont particulièrement bien avec les asperges, les brocolis et les poissons. Hachez-les ou broyez-les avant usage.

Hoisin (sauce)

Sauce chinoise épaisse, sucrée et épicée à base de haricots de soja fermentés et salés, d'oignons et d'ail. Pour mariner ou badigeonner, ou pour relever viandes et poissons rôtis, grillés ou sautés.

Huile

Arachide À base de cacahuètes moulues. La plus utilisée dans la cuisine asiatique parce qu'elle chauffe sans fumer.
Graines de moutarde Une huile légère, obtenue par la première pression de graines de moutarde. Peut être remplacée par de l'huile de noisettes ou de noix.
Olive Celles de meilleure qualité sont vierges ou extra-vierges et proviennent du premier pressage de la récolte. Excellentes dans les salades et comme ingrédient. Les « légères » ont moins de goût, mais contiennent tout autant de calories.
Sésame À base de graines de sésame blanc rôties et pilées. Plus pour parfumer que pour cuisiner.
Végétale À base de plantes et non de graisses animales.

Huîtres (sauce aux)

D'origine asiatique, cette sauce brune, riche, est à base d'huîtres en saumure, cuites avec du sel et de la sauce de soja et épaissie avec de la fécule.

Kaffir (citronnier)

Originaires d'Afrique du Sud et de l'Asie du Sud-Est. Petit citronnier qui donne des fruits jaune-vert à l'écorce ridée. On utilise essentiellement ses feuilles, très aromatiques qu'il convient de découper en fines lanières. Très employé dans la cuisine thaïe.
Zeste On peut congeler le zeste de citron kaffir.

Ketjap manis

Sauce de soja indonésienne, épaisse et sucrée, contenant du sucre et des épices.

Kumara

Patate douce de couleur orange. Vendue dans les magasins de produits exotiques.

Kombu

Base du dashi et de simples plats bouillis. Apporte une saveur légère. Le kombu doit être épais, noir brillant ou brun-vert. Il est parfois un peu poudreux. Ne le rincez pas.

Contentez-vous de l'essuyer avec un chiffon propre ou du papier absorbant avant usage afin de ne pas lui ôter son arôme en surface. Sortez-le toujours de l'eau juste avant l'ébullition pour ne pas qu'il acquiert un goût amer. Coupez les lanières de kombu par intervalle le long des bordures pour libérer leur saveur pendant la cuisson.

Laksa
Pâte Pâte très relevée que l'on trouve en bouteille, faite à base de citronnelle, piments, gingembre, pâte de crevettes, oignons et curcuma.
Soupe Soupe épicée aux nouilles et poulet ou fruits de mer et lait de coco.

Lentilles corail
Lentille orange très petite originaire du Moyen-Orient et que l'on trouve dans les magasins de produits exotiques.

Litchis
Fruits juteux délicieux à peau rouge et chair blanche contenant un noyau noir. Mangez-les tels quels ou ajoutés à des salades de fruits. On les trouve aussi en boîte.

Lotus (racine de)
Ou renkon. Comme le gingembre, il s'agit d'un rhizome. Elle s'utilise dans les tempuras et les salades par exemple. Raclez-la ou pelez-la avant utilisation. Vendue en boîte, fraîche ou congelée.

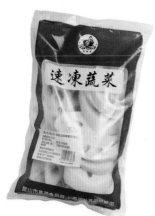

Macadamia
Noix riches et huileuses. Conservez-les au réfrigérateur à cause de leur contenu en matières grasses.

Maïs
Les jeunes épis de maïs sont vendus frais ou en boîte dans la plupart des supermarchés et les épiceries asiatiques.
Vous trouverez de la crème de maïs en boîte.

Maïzena
Farine de maïs. Sert à épaissir.

Menthe vietnamienne
Aussi connue sous le nom de feuilles de laksa.

Mirin
Vin de riz doux, peu alcoolisé, utilisé dans la cuisine japonaise. À ne pas confondre avec le saké, qui se boit.

Miso
Pâte de soja fermenté. Il en existe différentes variétés, chacune dotée de son propre arôme, d'une saveur, d'une couleur et d'une texture particulières. On peut le conserver au réfrigérateur dans un récipient hermétique jusqu'à 1 an. En principe, plus il est foncé, plus il est dense et salé. Il est possible de trouver du miso à faible teneur en sodium.

Naan
Pain indien plat contenant très peu de levure.

Nashi
Fruit du Japon qui a la forme d'une pomme, la consistance et la saveur d'une poire. On peut le remplacer par l'un ou l'autre fruit.

Nori
Algue large et plate, vendue en feuilles séchées ; à faire griller avant usage ; sert pour les sushis et comme assaisonnement.

Nouilles
Aux œufs frais À base de farine de blé et d'œufs. Il en existe toute une variété.

Au riz, fraîches Larges, épaisses, presque blanches. À base de riz et d'huile végétale. Doivent être couvertes d'eau bouillante pour éliminer l'amidon et l'excédent de graisse. Utilisées dans les soupes, ou sautées.
De soja Blanches, vendues sous forme de petits paquets ficelés dans les épiceries asiatiques. À consommer dans les soupes, les salades, ou sautées avec des légumes.

Harusame Vermicelles de soja secs, que l'on trouve dans les magasins asiatiques. Fins et translucides, ils se composent de différents amidons, le plus souvent à base de haricots mung, de pommes de terre et de maïs. Les shirataki sont des substituts frais très voisins.
Hokkien Nouilles de blé fraîches ressemblant à un épais spaghetti brun-jaune. Doivent être précuites.

Glossaire

Instantanées Cuisent en 2 minutes. Se vendent en petits paquets avec un sachet d'assaisonnement.

Shirataki Longues nouilles translucides de konnyaku, une racine comestible comparable au yam, également connue sous le nom de « langue du diable ». Vendues en sachets réfrigérés. On peut les remplacer par des harusame ou des vermicelles de riz.

Soba Nouilles japonaises fines à base de sarrasin.

Vermicelles de riz À base de riz moulu. Les consommer soit frites, soit sautées après les avoir fait tremper, ou bien dans une soupe.

Somen Nouilles de blé blanches, épaisses et plates. On les trouve fraîches, ou séchées, dans les magasins asiatiques et la plupart des grandes surfaces.

Nuoc-mâm
Sauce à base de poisson fermenté salé réduit en poudre (généralement des anchois). Très odorante, elle a un goût marqué. Il en existe des plus ou moins fortes.

Oignon
Nouveaux ou de printemps Bulbe blanc, relativement doux aux longues feuilles vertes et croustillantes.

Jaune Oignon à chair piquante ; utilisé dans toutes sortes de plats.

Rouges Également appelés oignons espagnols. Plus doux que les blancs ou les jaunes, ils sont délicieux crus dans les salades.

Vert Oignon cueilli avant la formation du bulbe, dont on mange la tige verte. À ne pas confondre avec l'échalote.

Pappadum
Sorte de pain plat indien à base de farine de riz et de farine de lentilles, d'huile et d'épices.

Pépinos
Petits concombres.

Piments
Il en existe toutes sortes de variétés, tant frais que secs. Mettez des gants en caoutchouc quand vous les épépinez et les coupez, car ils peuvent brûler la peau. En enlevant graines et membranes, vous les rendez moins forts.
Piments thaïs Petits piments frais allongés rouges ou verts ; très forts.

Piments moulus Variété asiatique épicée ; à utiliser faute de piments frais, à raison de 1/2 cuillerée à café de poudre pour 1 piment frais moyen haché.

Sauce aux piments douce Sauce peu épicée, du type thaï, composée de piments, de sel et de vinaigre.

Sauce aux piments forte Nous employons une variété chinoise composée de piments, de sel et de vinaigre.

Poivre

Au citron Assaisonnement à base de grains de poivre noir concassés, de citron, d'herbes et d'épices.

De Cayenne À base de piments broyés ; peut remplacer les piments frais : une demi-cuillère à café de poudre de piment (Cayenne) pour 1 piment moyen haché.

Japonais Également appelé sansho Épice provenant de la gousse d'une espèce de frêne. S'apparente au poivre de Sichuan.

Vert Baies du poivrier, généralement vendues en saumure (ou sèches). Elles ont un goût frais qui s'accommode bien avec les sauces à la moutarde et à la crème.

Du Sichuan Poivre à petits grains brun-rouge et au goût citronné.

Porc au barbecue

Traditionnellement cuit dans des fours spéciaux. La viande est enrobée d'une sauce sucrée et gluante à base de sauce de soja, de cinq-épices et de sauce hoisin. Vous en trouverez tout fait dans les magasins d'alimentation exotique.

Riz

Au jasmin Riz à longs grains très aromatique.

Basmati Riz blanc, parfumé à longs grains. Il convient de le rincer plusieurs fois avant utilisation.

Long grain Ne colle pas à la cuisson.

Koshihikari Riz à petits grains ronds. Pousse en Australie à partir de graines japonaises. Parfait pour les sushis. Disponible dans certains supermarchés.

Feuilles de riz fraîches À utiliser le jour de l'achat. Sinon, conservez-les couvertes au réfrigérateur une journée. Elles durciront, mais se ramolliront à la cuisson.

Galettes de riz Feuilles translucides à base de farine de riz, d'eau et de sel. À conserver à température ambiante. Humidifiez-les pour les rendre souples.

Saké

Alcool de riz sec. Ingrédient de base de nombreux plats japonais. On boit les bons crus. Le saké ryoriyo servant pour la cuisine est moins alcoolisé.

Sambal oelek

Condiment d'origine indonésienne, composé de piments broyés, de sel, de vinaigre et de diverses épices.

Sauces

Barbecue À base de tomates ; pour mariner ou arroser les aliments.

Black bean Germes de soja fermentés, eau et farine de blé.

Aigre-douce Sauce sucrée-salée vendue dans les magasins de produits asiatiques.

Chili sucrée Sauce thaïlandaise sucrée faite de piments, de sucre, d'ail, et de vinaigre. Vendue dans les magasins de produits asiatiques.

Hoisin Sauce chinoise épaisse, douce et épicée ; germes de soja fermentés, oignon et ail. Pour mariner ou arroser les aliments, ou pour relever les aliments sautés, grillés ou cuits au four.

Huîtres (sauce aux) Sauce asiatique riche de couleur foncée ; faite d'huîtres et de leur saumure cuites avec du sel et de la sauce de soja, puis épaissie avec de la Maïzena.

Nuoc-mâm Poudre de poisson salé fermenté ; odeur et goût prononcés ; à utiliser avec modération.

Soja (sauce de) Germes de soja fermentés.

Teriyaki Sauce de soja, sirop de maïs, vinaigre, gingembre et autres épices ; donne une brillance caractéristique aux viandes grillées.

Seiche

Préparez-la comme l'encornet ou le poulpe. Faites-la cuire rapidement pour éviter qu'elle

devienne coriace. On trouve de la seiche séchée dans certains magasins exotiques. On la consomme en guise de snack, mais on peut aussi la reconstituer avant de la faire cuire. Le sarume est de la seiche assaisonnée et grillée.

Sept-épices (poudre)

Ou shichimi togarashi. Mélange de piments, de poivre sansho, de zeste de mandarine, de graines de chanvre noires ou de graines de pavot blanches, d'algues séchées (nori) et de graines de sésame blanches. Sert à assaisonner les fondues japonaises, les soupes et les nouilles.

Sésame (graines de)

Graines ovales, noires ou blanches provenant d'une plante tropicale appelée *Sesamum indicum*. Bonne source de calcium. Pour les faire griller, étalez-les dans une poêle antiadhésive et remuez brièvement à feu doux.

Sucre

Dans les recettes, nous avons utilisé du sucre blanc cristallisé, sauf mention contraire.

Roux Appelé aussi cassonade ; un sucre doux et fin, pas complètement raffiné.

Semoule Blanc et plus fin que le sucre cristallisé ; permet des mélanges plus fins en pâtisserie.

De palme Sucre brun foncé à base d'un jus provenant de la fleur de cocotier. Vendu en blocs durs dans les épiceries asiatiques. Cassez la quantité nécessaire et écrasez. On peut le remplacer par du sucre roux.

Tamarin

Fruit du tamarinier. Vendu sous la forme d'une pâte épaisse, violet foncé, prête à l'emploi. Donne aux plats un goût acidulé.

243

Glossaire

Tat soi
Chou chinois plat, plus tendre que le bok choy. Développé pour pousser près du sol afin qu'il soit protégé du gel.

Wakame
Algues vert vif en forme de lobes, généralement vendues séchées, entrant dans la composition des soupes et des salades. Il ne faut pas les faire mijoter plus d'une minute de peur qu'elles se décolorent et perdent leurs qualités nutritives. On doit les faire tremper dix minutes environ pour les ramollir. Jetez les tiges dures.

Tempeh
Galettes plates de soja ; peuvent être remplacées par du tofu.

Wasabi
Poudre de raifort verte entrant dans la composition de la sauce qui accompagne traditionnellement les poissons crus japonais. Vendue en tube, sous forme de pâte. Ce condiment étant très coûteux, on peut le remplacer par du raifort.

Tofu
Pâte de soja. On trouve du tofu frais dans les épiceries exotiques et au rayon diététique. Son goût neutre lui permet d'absorber les arômes des aliments avec lesquels il cuit. Une fois le sachet ouvert, gardez-le dans de l'eau au réfrigérateur. Changez l'eau tous les jours. Il existe du tofu plus ou moins ferme, ainsi que du tofu frit, en petits cubes et du tofu en «poches» que l'on garnit.

Vin de cuisine chinois
À base de riz, de blé, de sucre et de sel. 13,5° d'alcool. Disponible dans les épiceries asiatiques. On peut le remplacer par du mirin ou du xérès.

Vin de gingembre vert
Alcool de gingembre qui titre à 14° et a un goût de gingembre frais. Vous pouvez le remplacer par du vermouth ou la même quantité de sirop de gingembre en bocal.

Vinaigre
De malt À base de malt fermenté et de copeaux de hêtre.
De riz À base de riz, il a un goût moins prononcé que la plupart des vinaigres occidentaux. Très léger et légèrement sucré. À employer pour les sushis et les sauces de salade. On peut le remplacer par du vinaigre de cidre dilué dans un peu d'eau.
Su (vinaigre à sushis) Mélange de vinaigre de riz, d'eau et de sucre à incorporer au riz des sushis. On en trouve tout prêt sous forme de poudre ou de liquide.

Wonton (pâte à)
Petits ronds de pâte séchés servant à préparer les raviolis. On peut y substituer des galettes de riz pour rouleaux de printemps ou pâtés impériaux. On les fait frire, une fois garnis, ou on les fait cuire à la vapeur.

Table des recettes

• MARABOUT MAXI-CHEF •

Traduction et adaptation de l'anglais
Sabine Boullongne et Élisabeth Boyer

Packaging
Domino

Relecture
Aliénor Lauer et Armelle Héron

Marabout
43, quai de Grenelle – 75905 Paris Cedex 15

Publié pour la première fois en Australie
en 2001 sous le titre :
Great asian food

Dépôt légal n° 43471 - février 2004
ISBN : 2501039025
4036513/02

Imprimé en Italie par Rotolito.